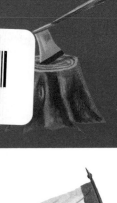

D1096827

Das Buch

Kanada für Anfänger und Fortgeschrittene: Bernadette Calonego, seit vielen Jahren Korrespondentin der *Süddeutschen Zeitung*, ließ sich für dieses Buch von ihrem aufregenden Leben in Kanada inspirieren. Ob in einer Fishing Lodge in British Columbia, an Bord eines Eisbrechers in der Arktis oder beim Goldgraben in Dawson City – Calonego erzählt von den unterhaltsamen und faszinierenden Abenteuern einer unbeirrbaren Auslandskorrespondentin, die allesamt Lust machen, das Traumreiseland selber zu entdecken. Kurz: Ein humorvoller Leitfaden, wie man sich in Kanada verliebt.

Die Autorin

Bernadette Calonego, geboren in Stans/Schweiz, lebt und arbeitet seit über zehn Jahren als Schriftstellerin und freie Kanada-Korrespondentin der *Süddeutschen Zeitung* in der Region Vancouver. Ihre Artikel wurden unter anderem in *Geo, Vogue, Brigitte, Standard, Tages-Anzeiger, Neue Zürcher Zeitung* und im *SZ-Magazin* veröffentlicht.

Mehr Informationen finden Sie auf ihrer Webseite *www.bernadettecalonego.com*.

Bernadette Calonego

Oh, wie schön ist Kanada!

Leben unterm Ahornblatt

Ullstein

Besuchen Sie uns im Internet:
www.ullstein-taschenbuch.de

Originalausgabe im Ullstein Taschenbuch
1. Auflage Dezember 2011
2. Auflage 2011
© Ullstein Buchverlage GmbH, Berlin 2011
Umschlaggestaltung und Gestaltung
des Vor- und Nachsatzes: Sabine Wimmer, Berlin
Titelillustration: © Olaf Hajek
Satz: Pinkuin Satz und Datentechnik, Berlin
Papier: Munken Print Cream von Arctic Paper GmbH
Druck und Bindearbeiten: CPI – Ebner & Spiegel, Ulm
Printed in Germany
ISBN 978-3-548-28318-0

Für Erika I.

1

»Das ist Kanada, nicht der Kongo!«

Wäre ich nicht so aufgebracht, würde ich den Mann vor mir gründlich abtasten. Er muss ein Trugbild sein. Wenn ich ihn mit meinen Fingern berühre, wird er sich bestimmt auflösen wie eine Fata Morgana. Der tief in die Stirn gezogene breitrandige Hut, die Muskeln an den Unterarmen, die breiten Schultern, die gebogenen Spitzen der Stiefel. Das gebräunte Gesicht mit den männlichen Falten. Und diese Jeans, meine Güte!

Er sieht genau so aus, wie sich Lieschen Müller einen Cowboy vorstellt. Ein wandelndes Klischee, die Hände in die Hüften gestemmt, einen Kaugummi im Mund. Vor Klischees fürchtet sich meine Journalistenseele wie der Teufel vorm Weihwasser. Klischees bedeuten immer Ärger. Meine Finger zucken, aber dann rastet meine Selbstdisziplin wieder ein. Siebzehn Jahre Redaktionsdrill sind nicht spurlos an mir vorbeigegangen. Das Über-Ich meldet sich. *Meine Teure, du bist nicht als Journalistin hier. Du bist auf Urlaub, hörst du? U-R-L-A-U-B. Entspannung, Erholung, einfach mal wegtreten.*

Wegtreten. Genau. Ich trete einige Schritte von dem Cowboy weg, der auf seinen Stiefeln wippt.

»Sie sind also Ankes Freundin aus Deutschland, die noch nie einen Bären gesehen hat?«, fragt er, die Beine gespreizt, als säße er auf einem Pferd. Dieser

Typ hat überhaupt nicht die Absicht, sich aufzulösen wie eine Fata Morgana.

»Einen *lebenden* Bären«, korrigiere ich ihn. »Und Sie, haben Sie schon mal ein lebendes Krokodil gesehen?«

Der Cowboy stutzt einen Moment, dann lacht er. »Sie sind genau wie Anke, Sie wären imstande, einen schweren Laster umzublasen.«

Beim Namen Anke hätte ich nicht nur einen Laster umblasen, sondern Feuer speien können. Meine alte Schulfreundin ist schuld daran, dass ich schon seit zweieinhalb Stunden in der kanadischen Provinz British Columbia festsitze. Auf einem Flughafen, der diesen Namen gar nicht verdient. Außer einer Auswahl von fünfzig Sorten Kartoffelchips und Getränken, die wie billiges Shampoo aussehen, gibt es nichts zu kaufen.

»Die deutschen Mädchen, die hier leben«, sagt der Cowboy, »sind wirklich –«

»Wo ist Anke?«, unterbreche ich ihn. Verdutzt schiebt er seinen Hut einen Zentimeter himmelwärts.

»Sie konnte nicht weg, deswegen bin ich hier. Ich bin Jake. Ist das Ihr Gepäck?«

Sein Blick fällt auf meine zwei Koffer. Er hört auf zu kauen. »Ich hoffe, da ist nichts als deutsches Bier drin. Haben Sie eigentlich noch Kleider in Deutschland gelassen oder gleich alles mitgenommen?«

Vielleicht hätte ich mich in diesem Augenblick umdrehen und mit der nächsten Maschine nach Vancouver zurückfliegen sollen. Dann wäre mir einiges erspart geblieben.

Zum Beispiel die blutige Sauerei auf der Ladefläche des Pick-up-Trucks, der vor dem Flughafengebäude auf uns wartet. Jake sieht die Abscheu auf meinem Gesicht und grinst. »Wir haben einen dritten Passagier. Er tut Ihnen aber nichts.«

Zu spät. Mir dreht sich bereits der Magen um. Ein totes Tier liegt dort, der Kopf mitsamt dem Geweih abgetrennt. Blut rinnt aus dem offenen Maul, die Zunge hängt heraus. Die Augen dunkel und starr. Zerrissenes Fleisch zwischen braunem Fell.

Ich schließe die Augen. Als ich sie wieder öffne, hievt Jake die Koffer auf die hintere Sitzreihe des Pick-ups.

»Steigen Sie schon mal vorne ein«, ruft er.

Ich öffne die Tür und bleibe wie angewurzelt stehen. Auf dem Sitz liegt ein Gewehr, der Lauf auf mich gerichtet.

Wie von der Tarantel gestochen umrunde ich den Pick-up.

»Halt! Halt!«, rufe ich und strecke die Handfläche nach vorne, als müsste ich den Stoßverkehr in Frankfurt stoppen. Ich stamme aus Frankfurt und weiß, dass es kein Mittel gegen den Stoßverkehr gibt. Aber vielleicht kann ich etwas gegen dreiste Cowboys tun.

»Woher weiß ich eigentlich, wer Sie sind?«, sage ich. »Vielleicht hat Anke Sie gar nicht geschickt.«

Jake, der gerade den zweiten Koffer hochstemmen wollte, lässt ihn wieder sinken. Er nimmt seinen Hut vom Kopf, streicht sich übers volle braune Haar und setzt ihn dann mit beiden Händen wieder auf. Wie mir später klar wird, ist es eine Angewohnheit, um Zeit zu gewinnen, ohne die Selbstbeherrschung zu verlieren.

»Wer soll ich denn sein?«, fragt er schließlich.

Ich ringe um die Antwort. Gail hat mich auf alles Mögliche vorbereitet, aber nicht auf wildbretjagende Cowboys. Sie riet mir stattdessen, mich von den

Horrorgeschichten wohlmeinender Kanadier nicht beeindrucken zu lassen. »Sie erzählen dir von aggressiven Bären und von Pumas, die Kinder überfallen«, hat sie mich gewarnt, »von Kojoten, die kleine Hündchen von der Leine weg fressen, und dann, wenn du dich nicht mehr in die Wildnis traust, sagen sie: Keine Bange, es kann dir doch nichts passieren.« Gail ist Kanadierin und muss es schließlich wissen. Ich habe sie auf einer Veranstaltung der Deutsch-Kanadischen Gesellschaft in Frankfurt kennengelernt. Gail ist mit einem Deutschen verheiratet und isst mindestens einmal die Woche Kartoffelpuffer mit Apfelmus.

Jake sieht mich immer noch fragend an. Ich klammere mich an meine Tasche mit dem deutschen Pass und stammle: »Ich … ich kenne Sie nicht … und Sie haben ein Gewehr im Truck.«

Jake schüttelt langsam den Kopf. »Das ist mein Jagdgewehr, *Fraulein*. Alle haben hier ein Jagdgewehr. Selbst Anke hat eins.« Er sagt »Änky«.

Ich bewege mich nicht von der Stelle und schweige.

»Mädchen, Sie haben keine andere Wahl, als mit mir zu kommen. Die Hotels in der Gegend sind voll, wegen des Rodeos. Der Rückflug nach Vancouver ist weg. Und Anke würde mich erschießen, wenn ich ohne Sie käme. Mit dem Jagdgewehr.« Er fasst den zweiten Koffer und zwinkert vielsagend. Dann knallt er die hintere Tür zu.

»Beruhigen Sie sich. Das hier ist nicht der Kongo, das ist Kanada.«

»Und Sie sind nicht Crocodile Dundee, sondern ein –«

Das Surren meines Handys unterbricht mich. Ich fische es aus der Tasche.

»Wo seid ihr? Ist alles okay? Ist Jake bei dir?« Eine weibliche Stimme. Unverkennbar Anke.

Den Rest des Gesprächs möchte ich lieber nicht dokumentiert sehen. Wir sind kurz davor, uns zu streiten. Ihren letzten Satz könnte ich ihr heute noch um die Ohren hauen:»Himmel, Kind«, brüllt sie,»stell dich doch nicht so an! Du bist in *Kanada*!«

Es ist immer dasselbe. Wenn man vorsichtig ist, stellt man sich an. Aber wenn man Risiken eingeht, heißt es hinterher: Wie konntest du nur so unvorsichtig sein!

Ich gebe auf und nehme Platz auf dem Beifahrersitz. Das Gewehr hat Jake neben den Hirschkopf auf die Ladefläche gelegt. Ich weiß nicht, ob das den Behörden gefallen würde, aber wenigstens ist es außer Sichtweite. Hätte ich meinen Laptop aktivieren können, dann hätte ich jetzt die kanadische Kriminalitätsrate mit der deutschen verglichen, damit ich nicht mehr so dumm dastehe.

Jake hält zehn Minuten später vor einer Tim-Hortons-Filiale und kommt kurz darauf mit Kaffee und Doughnuts zurück.»Sehen Sie, so nett sind wir Kanadier«, sagt er und grinst.

Zum ersten Mal lächle ich zurück.»Ja, ich weiß, in Kanada laufen alle Leute mit einem Heiligenschein herum.« Der Kaffeeduft stimmt mich beinahe versöhnlich.

Gail hat mir erzählt, dass Tim Hortons nicht nur eine Schnellimbisskette ist, sondern eine kanadische Institution. Das Unternehmen gehört zwar inzwischen einem amerikanischen Konzern und hatte deswegen seinen Geschäftssitz vorübergehend in die USA verlegt, aber das war nur von kurzer Dauer, und die Zentrale befindet sich heute wieder in Kanada. Selbst die

Soldaten in Kandahar würden mit Kaffee von Tim Hortons versorgt, hatte Gail erwähnt. Burger King und Pizza Hut wurden vom Oberkommandierenden der Nato aus dem afghanischen Hauptquartier verbannt. Aber Tim Hortons durfte bleiben.

Dieser Gedanke hätte vielleicht meine Kampfbereitschaft stärken sollen. Aber als mir Jake einen Doughnut in die Hand drückt, bin ich schon so geschwächt vor Hunger, dass ich bald den Hirsch hinter mir angeknabbert hätte.

»Langen Sie ruhig zu«, sagt er, »wir werden drei Stunden unterwegs sein, und unterwegs gibt's keinen Laden.«

Drei Stunden! Ohne Laden! Auch das hat mir Anke verschwiegen. Zugegeben, sie hatte am Telefon von »abgeschieden« gesprochen, aber ich hatte nur »Ruhe, Natur, Einkehr« verstanden.

Großer Fehler, du hättest nachfragen sollen.

Jake stellt meinen Kaffeebecher in eine Vertiefung zwischen den Sitzen. »Das ist das wichtigste Accessoire in einem kanadischen Wagen«, sagt er und steuert den Pick-up auf eine Landstraße.

»Man hat es erfunden, weil der Kaffee so heiß ist«, sage ich und reibe mir die Hand.

»Falsch, das hier ist für die Bierdosen gedacht. Kaffee trinke ich nur mit deutschen Mädchen.«

»Frauen«, korrigiere ich ihn.

Er sieht mich von der Seite an. »Seid ihr deutschen Ladys immer so auf Konfrontationskurs?«

»Warum?«

»Ihr seid so … direkt.« Er spuckt das Wort aus wie eine faule Kirsche.

Ich weiß nicht, worauf er hinaus will. »Was heißt direkt?«

»Nun ... das ist schwierig zu erklären. Anke ist auch so, die sagt immer, was sie denkt.«

»Soll ich etwa sagen, was ich nicht denke?«

»Nun ... vielleicht ...« Der Cowboy verstummt.

In diesem Augenblick ahne ich nicht, dass ich die wenig schmeichelhafte Bedeutung des Wortes »direkt« noch früh genug lernen würde.

Ich versuche vergeblich, meinen Kaffee zu trinken, denn wir holpern jetzt über eine Lehmstraße mit der Topographie einer Käsereibe. Der aufgeweichte Untergrund ist voller Schlaglöcher, Wasserrinnen, Steine und flacher Tümpel. Bei jedem Hüpfer fürchte ich, Jake unfreiwillig um den Hals zu fallen. Eine Vorstellung, die mir weniger peinlich ist, als sie eigentlich sein sollte. Jake dreht das Radio auf, laute Countrymusic füllt den Pick-up.

»Ach, das ist noch gar nichts«, brüllt er. »Nach einem Regen kann man hier im Sumpf steckenbleiben. Sie haben hoffentlich Gummistiefel dabei!«

Hab ich natürlich nicht. Aber das will ich ihm nicht gleich unter die Nase reiben. Seine ist übrigens gerade und männlich, stelle ich fest. Irgendwer hat bestimmt Gummistiefel für mich. Und so lasse ich zum ersten Mal ein Wort fallen, das mich wie eine Zauberformel über viele kanadische Kommunikationsfallen hinwegtragen wird. Man umgeht damit Höflichkeitsfloskeln und langatmige Argumente. Es lässt einen freundlich, angepasst und souverän erscheinen.

»*Sure*«, sage ich, mindestens so nonchalant, wie ich in Deutschland »Na klar« sagen würde.

Und siehe da, Simsalabim, taut Jake auf und erzählt mir, dass er seit drei Jahren auf Ankes und Carls Ranch mit den Pferden arbeitet, allerdings nur im Sommer, im Winter fährt er Lastwagen im Norden

Kanadas. Irgendwann wolle er sich auch eine Ranch kaufen, sagt er, aber die Landpreise in Kanada seien kräftig angestiegen. Von Anke weiß er, dass British Columbia zweieinhalbmal so groß ist wie Deutschland. Aber hier leben nur knapp fünf Menschen pro Quadratkilometer. In B.C. gehört das meiste Land, vor allem die Wälder, der Regierung. »Crown Land« nennt es Jake, als ob es immer noch in der Hand der britischen Krone wäre wie zu den Zeiten, als Kanada eine britische Kolonie war. Die Regierung, klagt Jake, überlasse das Land nur Bergbaukonzernen und Holzunternehmen statt armen Schluckern wie ihm.

Wir fahren jetzt an zwei waldgesäumten Seen entlang. Die Straße wird noch holpriger, dichter Busch begrenzt die Sicht auf beiden Seiten.

»Und warum sind Sie nach Kanada gekommen?«, fragt Jake nach einer Weile.

»Das erzähle ich Ihnen nur, wenn Sie die Musik leiser drehen.«

Er tut es umgehend. Aber eigentlich kann ich ihm gar nicht die ganze Wahrheit erzählen. Ich kann ihm nicht verraten, dass ich genug davon habe, über die hundertste Tarifrunde der IG Metall zu schreiben. Dass ich eine Pause brauche. Dass ich mich immer noch von einer Scheidung erhole. Und dass mir langweilig war. Und mitten in dieser Langeweile hörte ich plötzlich von meiner alten Schulfreundin Anke. Sie kontaktierte mich über Facebook und schrieb mir von der Ranch und dass sie mit einem Kanadier ihr Glück gefunden habe. Ich fand das unglaublich romantisch. Seither träumte ich vom Leben in der kanadischen Weite, von starken Männern und vom Leben in der Natur und mit Tieren. Ich sehnte mich nach Freiheit und Abenteuer und verband das alles mit Kanada.

Aber das klang so furchtbar abgedroschen, dass ich mich fast dafür schämte.

Deshalb verheimlichte ich diese Sehnsüchte vor meinen Freunden, Bekannten, Geschwistern und den Arbeitskollegen in Deutschland. Erst recht meiner Chefin, die mir einen unbezahlten Urlaub von drei Monaten genehmigt hat. Offiziell hat mich Anke zu einem Besuch eingeladen. Punkt.

Diese Version bekommt nun auch Jake zu hören.

»Und ich will reiten lernen«, füge ich hinzu. Das ist mir gerade eingefallen.

»Was, Sie können nicht reiten?« Jake sieht mich fassungslos an.

»Na und? Sie können ja zum Beispiel auch nicht … Badminton spielen, oder?«

»Wenn Sie hierbleiben wollen, geht es nicht ohne Reiten.«

»Wer sagt denn, dass ich hierbleiben will?«

»Alle deutsche Mä… ähm, Frauen, die hierherkommen, wollen nicht wieder weg. Denken Sie nur, wie es Anke erging! Die ist hier hängengeblieben. Viele Deutsche haben in Kanada ihr Herz verloren. Das kann auch Ihnen passieren.«

»Wohl eher nicht. Ich habe eine Karriere in Deutschland und eine Eigentumswohnung.«

»Sie haben ein Condo? Sie besitzen kein Land?« Jake ist nicht beeindruckt.

»Nö, aber ich hab einen Balkon.«

»Einen Balkon, sieh mal an. Wissen Sie, wie groß die Ranch von Anke und Carl ist? 37 Hektar.«

Ich habe keine Ahnung, wie groß 37 Hektar sind, aber Jake hilft mir. »Wenn Sie die Grenze des Grundstücks ablaufen, dann brauchen Sie etwa eine Stunde.«

Ich bin beeindruckt.

Jake sieht so stolz aus, als gehöre ihm das Land persönlich.

Als er mir eröffnet, dass er vorhat, auf dem Rodeo in Williams Lake einen Stier zu reiten, kommt mir Gails Webseite in den Sinn. Mir wird ganz mulmig. Gail hat mich überredet, Video-Porträts von kanadischen Männern für ihre Webseite zu filmen. Nicht von irgendwelchen Männern, sondern von Junggesellen. Damit will sie ein weibliches Publikum für ihre alternativen Reisen anlocken. »Die sehen dann diese Naturburschen und kaufen die Reisen bei mir«, hatte sie mir erklärt. Ich dachte damals, warum nicht, so kann ich ungezwungen Männer kennenlernen (was beweist, wie leicht man solche Ideen sich selbst gegenüber rechtfertigen kann).

»Das wird ein Riesenspaß«, hatte Gail, deren Lieblingswort »FUN« ist, bekräftigt. »Und du bekommst meine selbstgemachten Seifen und Gesichtscremes kostenlos.« Das nenne ich ein Angebot. Gail stellt ihre Natur-Kosmetik ohne Tierversuche her, was mich als Tierfreundin besonders beeindruckt.

Nur hier, in Kanada, sieht die Sache nicht mehr so nach FUN aus. Worauf habe ich mich da nur eingelassen?

Im Radio singt jemand »Dance with me«, so schnulzig, als gelte es einen Eisberg zu schmelzen, und Jake singt mit.

Mir kommt die Fahrt wie eine Ewigkeit vor. Gebüsch links und Gebüsch rechts, dahinter Wald und nochmals Wald. Gerade abwechslungsreich ist das nicht.

Jake hält kurz an, damit ich endlich den lauwarmen Kaffee trinken kann, ohne ihn über meine Hose zu schütten, und dann geht's wieder mit Gerumpel weiter, als ob wir in einer Waschmaschine säßen. Irgendwann entfaltet der Kaffee seine Wirkung, und ich sage Jake, ich müsse mal raus, um mir die Nase zu pudern. Es dauert eine Weile, bis er versteht, was ich meine.

»Gehen Sie nicht zu weit«, ruft er, als ich mich dem Gebüsch nähere, aber das braucht er mir nicht zweimal zu sagen. Wenn nur kein Bär in der Nähe ist! Der riecht doch bestimmt den blutigen Hirschrücken!

Als ich rasch zum Pick-up zurückkehre, ist Jakes Stirn umwölkt.

»Was ist?«, frage ich.

»Oh, nichts«, sagt er und startet den Motor.

Nach einer halben Stunde schaue ich auf die Uhr. Noch etwa vierzig Minuten zur Ranch, schätze ich.

Der Pick-up kommt plötzlich zum Stehen.

Jake versucht den Motor in Gang zu bringen. Aber der springt nicht an.

»*Oh well*«, sagt Jake, und sein Grinsen ist nicht mehr so frech. »Das war's wohl.«

»Sind wir schon da?«, frage ich hoffnungsvoll wider besseres Wissen.

Jake öffnet die Tür. »Das Benzin ist alle, und ich habe den Reservekanister vergessen.«

Es dauert eine Weile, bis der Inhalt der Botschaft bei mir ankommt. Aber dann fasse ich mich schnell. »Wir können doch mit dem Handy die Ranch anrufen.«

»Kein Empfang hier, meine Teure, wir sind in der Wildnis. Oder sehen Sie irgendwo einen Sendemast?«

Jake macht sich auf der Ladefläche zu schaffen. Ich steige aus. Unbegreiflich, dass man in dieser menschenleeren Gegend einfach einen Benzinkanister vergessen kann!

»Was machen wir nun?«, rufe ich.

»Wir fahren mit dem Quad.«

»Mit was?«

Jake zeigt auf eine Art Motorrad mit vier Rädern, dem ich bislang noch keine Beachtung geschenkt habe. Es ist blutbeschmiert.

Die folgenden dreißig Minuten würde ich am liebsten aus meinem Gedächtnis streichen. Nur so viel: Jake gelingt es, den Hirsch von der Ladefläche zu schieben, das Quad über eine Rampe abzuladen und den Tierkadaver wieder auf den Pick-up zu werfen. Dann will er, dass ich mich auf das schmutzige Geländefahrzeug setze. Ich lehne entsetzt ab.

»Sie können auch hier warten«, sagt Jake, »aber ich weiß nicht, wie lange es dauern wird, bis jemand kommt.«

Diese Aussicht ist noch schlimmer als der blutverschmierte Sitz auf dem Quad. »Ich hole noch rasch meine Kamera raus und meinen Schmuck und –«

»Das lassen wir mal schön hier«, sagt Jake. »Wer soll das denn Ihrer Meinung nach klauen? Wie vielen Autos sind wir bislang begegnet? Wissen Sie, worum Sie sich sorgen sollten? Dass uns ein Bär den Hirsch klaut!«

»Uns? Ich kann mich nicht erinnern, dieses arme Tier totgeschossen zu haben«, belle ich zurück.

»Und die armen Tiere in den europäischen Schlachthöfen? Dieser Hirsch hatte wenigstens ein schönes Leben, bevor er starb.«

Jake holt einen Lappen aus dem Pick-up und wischt energisch über die Sitzfläche des Quad. »So, sauberer wird's nicht. Springen Sie auf, Mylady.«

Ich nehme Platz, kann mir aber eine Frage nicht verkneifen: »Sind die Autotüren abgeschlossen?«

Jake grinst schon wieder. Diese Kanadier sind wirklich nicht aus der Ruhe zu bringen.

»Fast so gut wie die Tresore der Frankfurter Banken«, sagt er. »Halten Sie sich richtig fest?«

Was heißt schon richtig auf einem Vehikel, das jede Delle, jede Erhebung, jede Wurzel, jeden Steinbrocken als Fahrspur nimmt? Zu spät schießt mir der Gedanke durch den Kopf, dass wir beide keinen Helm tragen. Aber denken ist auf dem Quad ohnehin nicht möglich, es geht nur noch darum, nicht abgeworfen zu werden.

Jake scheint die ganze Sache Spaß zu machen, der fühlt sich bestimmt, als reite er auf einem wildgewordenen Stier. So kommt mir die Fahrt auch vor. Zu allem Übel fängt es auch noch an zu regnen.

Ich will nur noch nach Hause, wo immer das ist.

»Wir nehmen eine Abkürzung«, ruft Jake plötzlich, und schon rumpeln wir querfeldein, schlagen Breschen ins Gebüsch, während mir Zweige ins Gesicht peitschen, und durchqueren morastige Wiesen. Schlamm und Erde spritzen an meinen Jeans hoch.

Jäh öffnet sich eine große Lichtung. Ich sehe ein Blockhaus, daneben einen Stall mit Maschinen davor und ein Geviert voller schwarz-weißer Rinder. Eine Gruppe Pferde steht Heu fressend unter Tannen – und da ist auch das Lama, von dem mir Anke erzählt hat. Enten, Hühner und Kaninchen verscheuchend, rumpelt das Quad über wacklige Holzlatten, die wohl eine improvisierte Brücke über einem sprudelnden Bach darstellen sollen.

Endlich kommt das Quad zum Stehen. Ein Hund bellt. Ich kann kaum meine Finger von den seitlichen

Bügeln lösen, an denen ich mich festgehalten habe. Wasser rinnt mir über die Stirn ins Gesicht.

Ich sehe mich um. Das ist Ankes Ranch? Irgendwie habe ich mir alles … idyllischer vorgestellt. Es wirkt so … unordentlich.

Eine Frau tritt aus der Tür und kommt die Treppe herunter. Ich erkenne sie kaum wieder nach all den Jahren.

»Du lieber Himmel, wie siehst du denn aus?«, fragt Anke.

Jake hat recht, sie ist wirklich sehr direkt.

Ich versuche zu lächeln. »Meine Wimperntusche ist wasserlöslich.«

»Ich hoffe, deine Schuhe sind es nicht.« Anke lacht.

Ich sehe an mir herunter. Meine Turnschuhe stecken tief im weichen Erdboden.

»Ich hab bestimmt ein Paar Gummistiefel für dich«, sagt sie und umarmt mich. »Willkommen in Kanada! Du bist ja schon auf einem Quad gefahren. Ist das nicht toll?«

Ich blicke zu Jake, der wieder mal unverschämt grinst, obwohl er kein Wort versteht.

Ich schlucke leer.

»*Sure*«, sage ich.

2

Prärie-Austern

Ich führe Selbstgespräche, was ein gutes Zeichen ist. Deine Welt ist wieder in Ordnung, sage ich zu mir. Du sitzt mit einer Tasse Kaffee am großen Holztisch und siehst Anke zu, wie sie aus Teig Brote formt. So erdig und stark. Dein Haar kraust sich fürchterlich, aber es ist schon fast trocken. Ein Feuer knistert im finnischen Specksteinofen, der Ankes ganzer Stolz ist. Du weißt jetzt alles über die Vorzüge finnischer Specksteinöfen, die allen kanadischen Öfen überlegen sein sollen, und du hast ihn auch gebührend bewundert. Ja, richtig, über dem Sofa hängt ein ausgestopfter Bärenschädel, daneben das konservierte Haupt eines Elches, aber sieh jetzt nicht da hin, meine Liebe. Wir denken dann später darüber nach, wie wir dazu stehen.

Diese Wände aus dicken Baumstämmen, so hast du dir das doch immer vorgestellt, du heimliche Träumerin. Blockhüttenstil. Rustikal. Oder vielleicht doch nicht so rustikal? Zugegeben, ein bisschen mehr Privatsphäre wäre nicht schlecht. Du wirkst ein bisschen verloren in diesem Raum. Er ist Küche, Esszimmer, Wohnstube, Büro, Badezimmer und Waschküche in einem. Ein bisschen viel offenes Wohnen, aber wenigstens hat die Toilette eine eigene Tür. Wenn du Ankes Anweisungen befolgst, wie das Klo zu bedienen ist – ein Wassereimer spielt dabei eine wichtige Rolle –, dann wird es schon irgendwie gehen. Denk daran, was Anke dir erzählt hat: Früher hatten sie nur ein Plumpsklo draußen und mussten die Flinte mitnehmen, wegen der Bären. So kanadisch willst du es doch auch wieder nicht, oder, meine Liebe?

Und sieh mal, wie harmonisch hier Menschen und Tiere auf engem Raum zusammenleben. Dieses Japsen und Schmatzen aus der anderen Ecke des Raumes, das ist die Hündin Bella, ein Golden Retriever, die ihre zehn Jungen säugt, die sie vor wenigen Tagen geworfen hat. Anke will die jungen Hunde später verkaufen. Erinnere dich dran, was sie dir gesagt hat: »In Kanada muss man erfinderisch sein, damit genug Geld reinkommt.« Die Menschen hier lassen sich nicht unterkriegen.

Sieh dir Anke an. Hat sie nicht das Gesicht einer Frau, die körperlich hart arbeitet, aber zufrieden ist? Du arbeitest auch hart, aber die Zufriedenheit, die fehlt dir. Du musst sie sicher beneiden, meine Teure! Versetz dich in ihre Welt. Dazu bist du doch nach Kanada gekommen, nicht wahr?

Anke unterbricht meinen Gedankenstrom. »Was sagst du zu unserer orangefarbenen Polstergruppe? Die ist von Ikea«, erklärt sie, »und damit kann ich mich brüsten, denn für die Kanadier ist Ikea europäisch und deshalb erstklassig. Wir sind dafür eigens acht Stunden nach Vancouver gefahren. Ich glaube, ich habe die einzige Polstergruppe im Umkreis von fünfhundert Meilen, die nicht geblümt oder gestreift ist.« Sie lacht. »Für die Kanadier sind leuchtende, knallige Farben typisch europäisch. Alles, was frech ist und heraussticht, bezeichnen sie als europäisch. Schockfarben eben. Die Durchschnittskanadier bevorzugen dezente Töne, Beige und Rauchblau und Dunkelgrün oder ein blasses Rosa.«

Hat mir Gail nicht auch so etwas erzählt? Wie hat sie die Kanadier im Allgemeinen charakterisiert? Vorsichtig, zurückhaltend, bescheiden. Und so nett. Und überall beliebt. Deswegen würden manche Amerikaner mit der kanadischen Flagge auf dem Gepäck reisen, um überall willkommen zu sein.

Anke hört auf zu kneten und sagt: »Du hast wieder deine Eros-Ramazotti-Augen.«

»Ich habe was?«

»Deine Eros-Ramazotti-Augen. Genau diesen Blick hast du früher jedes Mal gehabt, wenn eine dieser romantischen Eros-Balladen im Radio lief.«

»Also hör mal! Daran kannst du dich doch bestimmt überhaupt nicht mehr erinnern. Außerdem ist das Michael Bublé.«

»Michael wer?«

»Michael Bublé, das solltest du doch wissen, der ist Kanadier. Sogar in Deutschland kennt man den.«

»Was weiß ich. Hier hört man nur Country.«

»Ja, das hab ich gemerkt. Ist ja gut, dass ich diese CD mitgenommen habe.« Und ein paar Bücher, denn außer Koch- und Gartenbüchern und Anleitungen für den Heimwerker habe ich hier nichts gefunden. Aber das sage ich nicht laut. Dafür singe ich kräftig mit: »I wanna go home …«

Anke schneidet eine Grimasse: »Kaum angekommen, willst du schon wieder nach Hause?«

»Anke, gib's auf!«

Sie schiebt die Brote in den Ofen und wischt sich die Hände am Küchentuch ab. »Komm, ich zeig dir unser Land«, sagt sie.

So komme ich zu meinem ersten »kanadischen Moment«. Zu dem Zustand, in dem man nichts mehr denkt und nur noch staunt, wie schön Kanada ist.

Ich ziehe die schmutzigen Turnschuhe an, denn mein Gepäck ist noch nicht da, Jake und Carl sind immer noch auf dem Quad unterwegs. Wir erklimmen einen Hügel hinter dem Haus und schauen uns um. Ich sehe kein Haus, nicht mal das von Anke, keine Straße, weder Strommasten noch Telefonkabel. Diese Weite! Diese Schönheit der Natur! Platz zum Atmen. Raum für Bewegungsfreiheit. Rundum gibt es nichts als Wälder, so weit man sieht. Die Weiden der Ranch ragen wie eine helle Zunge in das dunklere Grün hinein. Darauf grast das Vieh.

»Wir haben fünfzig Rinder, zwei Milchkühe, einen Stier, fünfzehn Pferde und ein Lama«, zählt Anke auf.

In meinen Ohren klingt das so viel besser als »ein VW Jetta, ein Diamantring, vier grüne Aktienfonds, drei Joop-Kostüme, eine Corbusier-Lederliege und ein Abo für die Kunsthalle«.

»Siehst du den Weiher dort?«, ruft Anke. »Der gehört uns auch, samt den Forellen drin. Und die nächsten Nachbarn sind mehr als sechs Kilometer entfernt.«

Ich werde immer neidischer. All das ist ihr Grund und Boden! Der einzige Boden, den ich mein Eigen nenne, ist das neue Parkett in meinem Wohnzimmer.

Eine richtige Pionierin ist sie, die Anke. Sie kann diese Geschichten von den Anfängen erzählen, wie die Auswanderer in den Reality-Shows im deutschen Fernsehen.

»Wir wussten nicht, was uns erwartet, sonst wären wir vielleicht wieder geflüchtet. Es gab keine Schlafzimmer im Haus, stell dir vor, nur einen Dachboden. Die Fenster hatten Plastikplanen statt Glasscheiben. In allen Ritzen hatten sich Mücken eingenistet. Es war furchtbar. Ich war so zerstochen im Gesicht, dass ich dachte, Carl wird bald vor mir Reißaus nehmen. Wir haben in Schlafsäcken auf dem Holzboden geschlafen, bis es endlich Platz gab für die eigenen Möbel. Und ich musste wochenlang auf einem Feuer im Freien kochen, bis wir Gas hatten.«

»Ach, wie abenteuerlich das klingt!«, sage ich neidisch.

Anke ist jetzt ganz in ihrem Element. »Carl musste ein Jahr lang Zäune bauen für sechs Euro die Stunde, weil die Fleischpreise im Keller waren und unser Rindfleisch nichts wert.«

»Das hat euch sicher zusammengeschweißt«, rufe ich entzückt, »dieser harte Kampf ums Überleben.«

Anke bleibt stehen. »Ich sag dir jetzt was, Schätzchen. Als wir kein Geld hatten, wäre ich fast wieder nach Deutschland zurückgekehrt. Aber sag das nicht meinen Eltern. Hier hast du kein soziales Auffangnetz wie bei uns. Und Selbstversorgung ist kein Honigschlecken, das kannst du mir glauben.«

Ich bin perplex. »Erst schwärmst du mir vor, wie schön du es hast, und jetzt willst du mich abschrecken?«

»Abschrecken? Weißt du, warum ich nicht zum Flughafen gekommen bin? Weil Carl und ich uns gestritten haben. Er hat sich ein neues Schneemobil für zwanzigtausend Dollar gekauft, ohne mein Wissen und auf Pump! Jetzt können wir wieder meine Eltern in Deutschland nicht besuchen. Aber er kennt es nicht anders. Hier leben alle auf Pump. Die machen Schulden wie wir warme Brötchen und finden nichts dabei. Es gehört zum kanadischen Lebensstil. Nur mir geht das total gegen den Strich.«

Sie beginnt den Abstieg vom Hügel. Auch mit meinen Ranchferien geht es von da an leider bergab.

»Jake wird dich am Wochenende zum Rodeo mitnehmen.«

»So, wird er das. Werd ich eigentlich auch gefragt? Ich geh nur mit, wenn er diesmal einen vollen Reservekanister einpackt. Wie kann man so was nur vergessen!«

Anke zuckt die Schultern. »Daran musst du dich hier gewöhnen. Wir Deutschen haben andere Erwartungen an Zuverlässigkeit und Pünktlichkeit als die Kanadier.«

»Dann bist du ja schon richtig kanadisch geworden«, necke ich sie. »Hast mich zwei Stunden lang auf dem Flughafen warten lassen.«

Anke lässt so etwas wie ein Schnauben hören. »Du musst ein bisschen großzügiger werden, Schätzchen, dann geht alles leichter.«

Die hat gut reden. Auf ihren Wunsch hin habe ich ihr tonnenweise deutsche Zeitschriften mitgebracht, deutschen Kaffee, deutsche Speisewürze, deutschen Senf, deutsche Kekse, deutsche Kräuterbonbons, deutsche Magentropfen – wenn das nicht großzügig von mir ist.

Dafür will sie mir gesunde Schokolade andrehen, die helfen soll, Gewicht zu verlieren. Schlankwerden mit Schokolade. Ich denke, ich hör nicht recht. Als ob ich das nötig hätte. Anke wirbt für diese schlankmachende Schokolade auf Haus-Partys. Noch so eine ihrer Einkommensquellen, neben der Hundezucht, dem selbstgemachten Heidelbeerlikör, den gegerbten Hirschhäuten und den getrockneten Pilzen.

Heute Abend ist sie mit der Gesundheitsschokolade bei einer Bekannten namens Betty Halter und fährt dafür eine ganze Stunde. Ich verdrehe die Augen. Eine Tupperparty!

Das ärgert Anke: »Ihr Deutschen habt immer diese vorgefassten Meinungen!«

Aber nein danke, ich will trotzdem nicht mit. Für heute reichen mir die Schlaglöcher.

Und von Rundgängen auf der Ranch habe ich vorerst auch die Nase voll. Zuerst werde ich von dem Lama verfolgt. Eigentlich haben sich Anke und Carl das Tier angeschafft, um die Kojoten zu vertreiben. Aber Lamas haben es offensichtlich auch auf deutsche Journalistinnen abgesehen. Ich rette mich über einen Holzzaun und schlendere über die Weide, auf der friedlich die Kühe grasen. Plötzlich höre ich Ankes Stimme vom Wohnzimmerfenster. Ich verstehe nicht, was sie ruft, aber ihr Arm zeigt auf etwas hinter meinem Rücken. Ich drehe mich um und schaue einem Stier in die Augen. Da sind mir selbst die zehn Meter Distanz zu nah. Ich hüpfe wieder über den Zaun zurück.

Das Lama hat sich jetzt zu den Pferden hinter dem Haus gesellt. Da geh ich lieber nicht hin. Aber in den Stall gucken möchte ich und die Kälber hinter den Ohren kraulen. Ich werde indes schon wieder verfolgt, diesmal von einem Hahn. Nun bin ich zwar eine Stadtbewohnerin, aber dass Hähne heimtückisch angreifen können, weiß selbst ich. Mit diesem hier ist bestimmt nicht zu spaßen. Ich ergreife die Flucht und bringe mich im Haus in Sicherheit.

Aber auch dort dauert die Schonfrist nicht lange. Abends sitze ich mit vier Fremden am Tisch, mit Carl, Jake und zwei Bekannten Carls, einem Ehepaar aus Alberta, das einfach hereingeschneit ist. Die beiden haben ein makabres Geschenk mitgebracht, nur weiß ich das als Einzige nicht. Anke ist von ihrer Schlankheitsschokoladen-Party noch nicht zurück. Aller Augen ruhen auf mir. Sicher bin ich völlig falsch angezogen mit meiner bunten Jacke von Dolce & Gabbana. Morgen werde ich das einzige Sweatshirt anziehen, das ich mitgenommen habe. Es ist grau.

»Na, schmeckt's?«, fragt Carl, kaum dass ich einen Löffel des Ragouts auf meinem Teller verschlungen habe. Es schmeckt und fühlt sich an wie Nierchen an einer Sahnesauce.

»Ja, es ist lecker, danke«, sage ich höflich. Carl ist ein schwerer, kräftiger Mann mit Händen wie Schaufeln. Ich hätte Carl nie zugetraut, dass er so gut kochen kann.

»Das sind Prärie-Austern«, sagt Jake und tauscht vielsagende Blicke mit den andern aus.

Ich verstehe nicht. »Austern? Das sind doch keine Austern. Ich denke, das sind eher Nierchen.«

Alle lachen.

»Sie schmecken Ihnen also, die Nierchen?«, fragt Carls Bekannter, ein rotgesichtiger blonder Cowboy. Seine Frau knufft ihn in die Seite. Aber sie tut es mit einem Lächeln.

»Bei uns nennt man sie Rocky-Mountain-Austern«, sagt Carl.

Wieherndes Gelächter.

Meine Tischgenossen sind sicher schon beim fünften Budweiser-Bier an diesem Abend. Ich trinke Ankes selbstgekelterten Apfelwein.

»Seit wann gibt es in den Rocky Mountains ein Meer?«, gebe ich zurück.

Wieder eine Lachsalve.

Langsam geht mir das Getue auf die Nerven.

Die Tür öffnet sich. Anke ist zurück. »Na, was hast du denn Gutes gekocht?«, fragt sie und fasst Carl an den breiten Schultern.

»Prärie-Austern«, sage ich.

Anke schaut das Ehepaar aus Alberta an. »Ihr habt doch nicht etwa –« Dann schüttelt sie Carls Schultern. »Du hast doch nicht etwa –«

Ihr empörtes Gesicht spricht Bände.

»Sie soll doch ein echt kanadisches Erlebnis haben«, ruft Jake nun und öffnet eine neue Bierdose.

»Haben Sie dir gesagt, was das ist?«, fragt mich Anke.

»Nein, warum?«

»Das sind die Hoden von kastrierten Hengsten! Ich ess so was nie.«

»Siehst du nun, wie direkt Anke ist«, sagt Jake zu mir. Aber ich höre ihn kaum. Ich stehe unter Schock.

»Das ist eine Delikatesse«, protestiert Carl. Anke ignoriert ihn.

»Komm, ich mach dir ein Sandwich.« Ich folge ihr in die Küche.

»Deine Eltern essen ja auch Kutteln«, ruft Carl uns nach.

Anke öffnet den Kühlschrank. Aber mir ist der Appetit vergangen.

Sie sieht mich besorgt an. »Willst du ein bisschen von meiner Gesundheitsschokolade?«

In diesem Moment gehen die Lichter aus. Pfeifen und Rufen am Tisch. »Auch das noch«, höre ich Anke neben mir stöhnen. »Der Akku macht schon wieder schlapp.«

Im Nu hat sie eine Taschenlampe eingeschaltet. »Ist nicht so schlimm«, raunt sie mir zu. »Sonst wär's eine lange Nacht mit viel Bier geworden.«

So gehen wir alle früh ins Bett. Ich liege noch lange wach. Von irgendwoher höre ich einen stotternden Motor, der aber nie richtig in Gang kommt. Schließlich verstopfe ich meine Ohren mit Wachsproppen. Die schützen mich noch vor anderen Geräuschen, denn die eine Wand meiner Schlafkammer reicht nicht bis an die Decke. Das sei einfacher zum Heizen, hat mir Anke erklärt. Der finnische Specksteinofen muss fürs ganze Haus reichen.

Mitten in der Nacht kriecht etwas über meine Beine. Ich schrecke auf. Ratten! Oder ein Marder! Verzweifelt suche ich meine Taschenlampe. Als ich sie anknipse, sehe ich in die verwunderten Augen einer getigerten Katze.

Erleichtert sinke ich auf mein Kissen zurück, aber jetzt bin ich hellwach und muss dringend aufs Klo. Ich taste mich die Treppe hinunter, an der Hündin mit den Welpen und dem mit Geschirr vollgestellten Esstisch vorbei, im Schlepptau die Katze. Als ich mich der Küchenzeile nähere, streicht sie mir miauend um die Beine. »Pssssst«, mache ich, aber vergeblich.

Die Katze muss so hungrig sein wie ich. Plötzlich habe ich eine Eingebung: Ich nehme die halbgefüllte Schüssel mit den Prärie-Austern vom Tisch und stelle sie auf den Boden. Als ich aus dem Klo komme, fressen vier Katzen daraus. Ich verschlinge einen Joghurt aus dem Kühlschrank – Anke produziert natürlich selber Käse, Butter, Quark und Joghurt – und stelle die leergefressene Schüssel wieder auf den Tisch.

Rache ist süß, denke ich und schleiche zurück in die halbprivate Schlafkammer, wo ich in einen ruhigen Schlummer verfalle. Bis der Hahn kräht. Schlaftrunken sehe ich auf meinen Wecker: vier Uhr morgens.

Ich drehe mich auf die Seite und döse ein. Um halb sechs bin ich wieder wach. Stimmen und Schritte hallen durchs Haus. Jedermann scheint auf den Beinen zu sein. Ich warte, bis alle im Stall sind und es still wird, dann husche ich unter die Dusche, die nur durch einen Vorhang vor fremden Blicken geschützt ist. Ich drehe den Hahn auf – nichts. Kein Tropfen Wasser. Ich kann auch nicht die Zähne putzen oder das stehengebliebene Geschirr spülen.

Ich laufe zum Stall hinüber. Anke hält zwei Kälbern Milchflaschen ins Maul.

»Es gibt gleich wieder Wasser«, sagt sie. »Wir pumpen es zweimal am Tag aus einer Quelle ins Haus. Manchmal reicht es nicht, damit alle duschen können. Hast du gut geschlafen?«

Ich gähne. »Es geht. Jemand hat die ganze Zeit versucht, einen Motor zum Laufen zu bringen.«

Anke lacht. »Das war kein Motor, Schätzchen, das war ein Waldhahn, der im Busch beim Balzen heftig mit den Flügeln schlägt.«

Beim Frühstück beschuldigt Carl die Hündin Bella, den Rest der Prärie-Austern gefressen zu haben.

»Nein, nein«, sage ich mit Unschuldsmiene und setze die Tasse mit dem Milchkaffee ab. »Ich hab sie heute Nacht gegessen, weil ich so hungrig war.«

Es verschlägt allen die Sprache. Nur Jake nicht.

Er sieht mich mit unverhohlenem Vergnügen an. »Wenn Sie das gemacht haben, dann dürfen Sie heute auch beim Kastrieren der Kälber zuschauen.«

Haha. Aber selbst ein Haudegen wie Jake kann nicht widerstehen, als ich ihn bitte, sich vor meine Videokamera zu stellen. Ich kann Gail schon vor mir sehen, wie sie sich über dieses Porträt für ihre Reisebüro-Webseite freut.

O-Ton Jake Brown

»Ich bin Jake Brown und ein echter Cowboy. Ja, schaut gut her, ein Cowboy sieht so aus wie ich. (Lachen) Also, ich sag's lieber gleich: Das Wichtigste ist mir ein knackiger Hintern in engen Jeans. Ich bin kein B-Mann, ich bin ein A-Mann, wenn Sie verstehen, was ich meine. (Lachen) Etwas muss eine Frau einfach begreifen: Bei mir kommen die Pferde an erster Stelle.

Ich hab's schon mit Mädels versucht, die auch Pferdenarren sind. Nur – will ein Mann an zweiter Stelle kommen? Nö, besser ist eine, die reiten kann, aber nicht an Rodeos teilnimmt wie ich. Die Girls dort, die haben nur Pferde im Kopf und den Wettkampf, und das bringt's auch nicht. Wirklich nicht.

Ja, und Bier ist auch wichtig. An meinem Kühlschrank ist ein Aufkleber: *Bier ist besser als Frauen. Bier verlangt keine Gleichberechtigung.* Hat mir mein Kumpel Craig gegeben. Guter Spruch, muss ich schon sagen. Aber natürlich nur zum Spaß. Ein bisschen Spaß gehört doch dazu!

Die deutschen Mädels, die können wirklich arbeiten. Und die halten das Geld zusammen, das kann ich euch sagen.

Das seh ich bei meinem Kumpel Carl, bei dem ich arbeite. Die Anke zählt jeden Cent, und sie kauft nichts, was sie nicht auch selber machen kann. Ich arbeite jetzt schon das dritte Jahr für die beiden. Das ist eine lange Zeit, glauben Sie mir. Eine wirklich lange Zeit. Hier bleibt niemand lang in einem Job. Ich geh jeden Monat auf die Bank, mit Carls Scheck. Jedes Mal seh ich ein neues Gesicht hinterm Schalter. Auf der Ranch ist's genauso. Leute kommen, Leute gehen. Manche gehn ziemlich schnell. Wenn Sie 'nen

Arbeitsvertrag kriegen, haben Sie Glück gehabt. Ich kenne keinen Ranch-Arbeiter, der so'n Stück Papier hat. Mal wirst du bezahlt, mal geht den Leuten das Geld aus. Carl zahlt gut. Deshalb bin ich noch dort.

Ein deutsches Mädel, das Geld mitbringt, wär nicht schlecht. Dann könnt ich mir endlich eine Ranch kaufen. Ich will aber keine, die zu wild ist. Ich meine, keine Freundin, die zu wild ist. Man hört da so einiges über Europäerinnen. Ich hab mir die deutschen Zeitschriften angeschaut, die Anke bekommen hat. Mit Mode und Werbung und so. Donnerwetter, da ist aber viel mehr Nacktes drin als in kanadischen Blättern! Bei uns gehn sie ja schon auf die Barrikaden, wenn ein Model ein bisschen sexy auf'm Auto liegt. Oben ohne in einer Zeitung – oho, das wird hier nicht gemacht! Leider. Und auch nicht beim Baden. Außer an einem Strand in Vancouver. Wreck Beach heißt er. Da baden alle nackt. Aber da war ich noch nie. Will ich auch nicht. Will lieber 'ne Ranch. Wenn ich die habe, dann muss ich nicht mehr zum Tanz. Dann laufen mir die Girls in Scharen nach. Darauf könnt ihr wetten!«

3

Im Bauch des Bären

Ich habe es immerhin zwei Wochen ausgehalten. Vierzehn Tage. Und genauso viele Nächte. Dreihundertsechsunddreißig Stunden.

Niemand kann sagen, ich hätte mich nicht voller Energie ins Ranchleben gestürzt.

Ich kann's beweisen: Als Erstes bin ich mit Jake zum Rodeo nach Eagle Pond gefahren. Zugegeben, ich habe zuerst nachgesehen, ob ein voller Benzinkanister im Pick-up steht. Die Fahrt verlief problemlos, das kann ich schon vorwegnehmen. Aber ich konnte nicht voraussehen, dass in Eagle Pond eine Gruppe von Tierschützern gegen die Grausamkeit von Rodeos protestieren würde.

Sie halten Plakate hoch: »Stoppt die Grausamkeit!« – »Keine gefesselten Kälber mehr!« – »Auch Stiere sind Tiere!« – »Kälber seid ihr selber!«

Jake zieht mich weiter. »Das sind doch nur blöde Fanatiker«, sagt er. »Kanadier protestieren sonst nie. Da kann die Regierung noch so einen Scheiß bauen, niemand rührt sich. Nur wegen ein paar Kälbern gehn sie auf die Straße.«

Ich kann mir nicht helfen, aber von da an bröckelt Jakes glänzende Fassade immer mehr. Auch die Wettkämpfe sehe ich jetzt mit anderen Augen.

»Warum haben die Stiere diese Stricke um die Hoden gebunden? Muss das denn sein?«, frage ich Jake. Aber er zuckt nur lächelnd mit den Schultern.

Mein Cowboy beeindruckt mich nicht mehr sonderlich, denn hier laufen alle Männer herum wie er: Stetson-Hut, spitze Stiefel, Jeans, Muskeln und Gürtel mit Silberschnalle.

Und die Cowgirls sind mindestens ebenso tollkühn. Pfeilschnell jagen sie auf ihren Pferden durch die Arena, kurven haarscharf um Fässer, wirbeln Staub auf und galoppieren, als säße ihnen der Teufel im Nacken. Und wie sie auf den Pferden herumturnen, als hingen sie vom Trapez, den Kopf nur wenige Zentimeter von den gefährlichen Hufen entfernt!

Die Männer dagegen, die von den bockenden Stieren in den Sand geworfen werden, gehen weniger Risiken ein. Sofort sind Helfer zur Stelle, die den Stier ablenken, damit er sich ja nicht an dem Reiter rächen kann, der ihn so gestresst hat. Das finde ich ganz schön fies.

Um Jake zu versöhnen, trinke ich ein Bier mit einem Elchkopf auf der Dose und esse einen Hot Dog. Wir nähern uns einer Ecke, in der ein Cowboy mit einem Brenneisen herumfuchtelt. Er fängt meinen entsetzten Blick auf. »Ein Souvenir für die Lady?«, ruft er.

Ich will schnell vorbeigehen, aber Jake bleibt stehen.

»Das ist doch was für Sie«, ruft er. »Beugen Sie sich vornüber!«

Ich sehe ihn entgeistert an. »Wie bitte?«

»Der brennt Ihnen das Zeichen seiner Ranch ein, auf die Tasche Ihrer Bluejeans. Das ist doch eine schöne Erinnerung an dieses Rodeo!«

Ich denke, ich hör nicht recht. »Hören Sie mal, ich bin doch kein Rind!«

Jake grinst wieder mal frech. »Das weiß ich. Rinder tragen keine Jeans, oder irre ich mich? Kommen Sie, das ist doch nur zum Spaß. Deswegen sind Sie doch hergekommen, um etwas Neues zu erleben!«

Ich stehe unschlüssig da mit meinem Bier, das mich bereits ein wenig benebelt. Ich trinke sonst kein Bier. Eigentlich hat Jake recht, deswegen bin ich doch in Kanada – und wer kann mich schon sehen? Ich muss ja nicht befürchten, dass mein Bild am nächsten Tag auf Facebook zu sehen ist. Also los.

»Tut das sicher nicht weh?«, frage ich noch. Dann beuge ich mich gehorsam über eine Holzbank und strecke dem Cowboy meinen Jeans-Hintern entgegen. Ich schließe die Augen, höre ein leichtes Zischen, und schon ist der Spuk vorbei.

»Na, das sieht aber richtig schön aus!« Jake begutachtet fachmännisch meine Hinterseite. Mir ist derselbe Anblick nicht möglich, wie sehr ich mich auch um mich selbst drehe. Einen Spiegel gibt es hier natürlich nicht.

»Was steht denn drauf?«, frage ich ungeduldig.

»V/R/2«, sagt Jake.

»Was soll das denn heißen?«

»We are two. Wir sind ein Paar.« Er lacht schallend, als er meinen Blick sieht. »Hab Sie nur necken wollen. Das ist die Volcker Ranch Nummer 2. Bobby Volcker hat die Nummer Eins und Clarence Volcker die Nummer Zwei.«

Das war mein allererstes Initiierungsritual in Kanada. In diesem Moment kann ich nicht ahnen, dass noch andere folgen werden, denn die Kanadier sind ganz wild auf solche Zeremonien. Ich werde Whisky trinken, in dem eine menschliche Zehe schwimmt, einen Kabeljau küssen, einen Jig tanzen, Walfett essen, mich mit Zitronengras beweihräuchern und zu indianischen Trommeln Hüpfer vollführen. Und ich werde in einem Kanu das versuchen, was angeblich jede echte Kanadierin mit einem echten Kanadier darin tut. Sofern sie es schaffen und nicht vorher kentern.

Jetzt, da ich dieses Brandzeichen trage, kann ich genauso gut zum ersten Mal in meinem Leben ein Pferd besteigen. Natürlich das gutmütigste Pferd von allen, eine Stute namens Stardust, die so ziemlich alles mit sich machen lässt. Aber nur, wenn man ihr die richtigen Befehle gibt. Und wenn man die Leine in die gewünschte Richtung dreht.

Pferde sind so groß! Und so hoch! Ich finde die Bodenfreiheit auf einem Pferd beängstigend. Und sie haben im Gegensatz zum Auto einen eigenen Willen. Nein, Stardust hat mich nicht abgeworfen. Sie ist auch nicht mit mir durchgebrannt. Noch hat sie mir den Gehorsam verweigert. Ich liebe Pferde, wirklich. Aber am meisten liebe ich sie, wenn ich mit beiden Füßen auf dem Boden stehe.

Meine Begeisterung hält sich in Grenzen. Und eigentlich wollte ich ja gar nicht reiten. Ein glücklicher Umstand hat mir bisher dabei geholfen: Auf der Ranch hatte einfach niemand genügend Zeit für Reitunterricht. Vor allem Anke nicht.

Entweder macht sie Teigwaren selbst (»Himmel, Anke, dafür gibt's doch Tüten-Spaghetti«), oder sie sammelt Pilze (»Iiiiiihhh, Anke, es knackt so verdächtig im Busch! Ist das nicht ein Bär?«). Dann flickt sie tagelang den Holzzaun (»Was machen eigentlich Carl und Jake?«), säugt Kälber (»Nein, Anke, ich will keine

Babys, warum fragst du?«), friert Beeren ein, trocknet Pilze, stopft Würste, füllt Konfitürengläser, schlachtet Kaninchen, braut Heidelbeer-Likör, bestellt den Garten, verliest Kräuter, sammelt Eier, füttert Hühner, mästet Truthähne … Und ich bin immer dabei.

Erschöpft lasse ich mich auf einen Stuhl fallen.

»Anke, Anke, kommst du denn nie zur Ruhe? Ich bin gestresst, ich brauche Urlaub!«

»Warum strickst du nicht ein bisschen, Schätzchen? Oder geh angeln!«

Angeln? Das fehlt noch. Aber natürlich muss ich angeln. Ich bin doch in Kanada.

Und wohin hat mich Ankes Ratschlag gebracht? In ein Saufgelage. Ich stehe im Gemeinschaftsraum der Tekora Fishing Lodge und schaue erschrocken auf ein Dutzend Männer in Gesellschaft mehrerer Whisky-Flaschen.

Ich mache rechtsum kehrt und pralle auf Wayne.

»Kommen Sie«, sagt er, »Ihr Essen steht bereit.«

Wayne hat mich vom Busbahnhof abgeholt. Er nennt sich Outdoors Guide, übersetzt heißt das, er führt mich durch Freizeitaktivitäten an der frischen Luft. Aber jetzt gerade führt er mich ins Hauptgebäude der Fishing Lodge, wo Bill Henderson, der Lodge-Inhaber, bereits am Esstisch sitzt. Er lächelt entschuldigend.

»Tut mir leid wegen des Lärms, die Yankees haben nun mal kein Benehmen.«

Das ist, wie ich bald erkenne, die Eröffnung eines Lehrgangs über die Liebe zwischen Nachbarn. Ganz offensichtlich eine höchst komplizierte Beziehung.

»Wir tolerieren die Amis, aber mögen tun wir sie nicht«, sagt Wayne, während ich ein Stück Lachs zerteile.

»Wir mögen sie vielleicht als Individuen«, ergänzt Bill, »aber sicher nicht als Nation.«

Wayne nickt. »Die Amis sind laut, arrogant, besserwisserisch, primitiv, unwissend ...«

»Und die meisten denken, dass Kanada ein Staat im Norden der USA ist, genau wie Alaska.«

Ich verschlucke mich fast am Fisch, aber nicht wegen der Gräte. »Amerika ist doch der größte Handelspartner der Kanadier, nicht wahr?«, wende ich ein.

»O ja, bei weitem der größte, die kaufen unsere Produkte wie verrückt. Sind es achtzig Prozent unserer Exporte, Bill?«

»Ja, so um den Dreh. Ich geb ja zu, ohne die Yankees könnten wir den Laden hier dichtmachen. Aber das heißt nicht, dass wir sie lieben müssen.«

»Sehen Sie«, sagt Wayne und beugt sich zu mir hinüber, als verrate er mir ein Staatsgeheimnis, »wir Kanadier sind die moralisch besseren Menschen. Wir sind fürsorglich, sozial eingestellt und führen keine Kriege.«

Ich höre auf zu kauen.

»Wir haben zum Beispiel die Blauhelmsoldaten erfunden.«

»Besser gesagt Lester Pearson hat sie erfunden, der war unser Premierminister. Er hat dafür den Friedensnobelpreis bekommen. Wann war das, Wayne?«

»Weiß nicht.«

»1957«, sage ich. Und als ich ihre verdutzten Gesichter sehe, füge ich hinzu: »Ich hab mich ein bisschen eingelesen, bevor ich hierherkam. Ich bin Journalistin.«

Ihre Gesichter wandeln sich von verdutzt zu interessiert.

»Ich weiß auch«, fahre ich fort, »dass die meisten

Kanadier in einem dreihundertfünfzig Kilometer breiten Gürtel entlang der Grenze zu den USA leben. Warum so nah an den USA, wenn sie die Amerikaner gar nicht mögen?«

Einen Moment lang ist es still. Dann sagt Bill: »Die Amis setzen neuerdings unbewaffnete Drohnen ein, um die Grenze zu bewachen. Dabei war es früher die längste unbewachte Grenze der Welt.«

»Die trauen uns nicht«, sagt Wayne. »Die haben einfach keine Ahnung. Und sie verbreiten Unwahrheiten über uns: Hohe Politiker haben erzählt, dass sich die Terroristen von 9/11 aus Kanada in die USA geschlichen hätten. Das stimmt nun überhaupt nicht.«

»Die denken, wir seien ein sozialistisches Land, weil bei uns der Staat die Gesundheitsversicherung für alle Bürger bezahlt, und dann haben wir auch noch erlaubt, dass Schwule und Lesben heiraten dürfen.«

»Und die Amerikaner?«, frage ich. »Mögen sie die Kanadier auch nicht?«

»Doch, doch, die mögen uns. Falls sie überhaupt wissen, dass wir existieren. Die haben ja keine Ahnung von Geographie.«

Wayne schiebt sich Broccoli in den Mund. »Die mögen zum Beispiel Celine Dion.«

»Und Jim Carrey, den Schauspieler –«

»Und Komiker«, unterbricht ihn Wayne.

»Und Michael Myers, den Komiker. Kennen Sie den? Und Pamela Anderson.«

Sie fangen an aufzuzählen. »Keanu Reeves. Kiefer Sutherland. Michael Fox. Alles Schauspieler. Alanis Morissette, die Sängerin.«

»James Cameron, der den Film ›Titanic‹ gemacht hat.«

40

»Erinnerst du dich an Peter Jennings, den Nachrichtensprecher bei ABC? Der war auch Kanadier.«

»Ja, aber nach 9/11 hat er dem Druck nachgegeben und ist Amerikaner geworden.«

»Wenn die alle Karriere in den USA machen«, sage ich, »kann es dort nicht so schlimm sein.«

Wayne richtet sich auf, als müsse er an Statur gewinnen. »Wie war dieser Satz mit dem Elefanten im Bett, Bill?«

»Du meinst, was Trudeau mal gesagt hat?« Er wendet sich an mich. »Sie kennen doch bestimmt den früheren Premierminister Pierre Elliott Trudeau, nicht wahr? Wahrscheinlich wissen Sie auch, wann er gelebt hat?«

Ich lasse mich nicht lumpen. »Von 1919 bis 2000.«

Beide starren mich an. »Sie sind ja ein wandelndes Lexikon.«

Ich lächle geschmeichelt, verrate ihnen aber nichts von meiner Faszination für Trudeau. »Das Zitat möchte ich trotzdem hören.«

»Ach ja, wie war das noch? Mit den Amis zu leben sei wie mit einem Elefanten im Bett zu schlafen«, sagt Bill.

»Das heißt, ständig mit dem Risiko zu leben, erdrückt zu werden«, ergänzt Wayne.

Bill nickt nachdenklich. »Was mich zum Thema bringt: Wir haben oben ein Gästezimmer mit einem King-Size-Bett. Das ist ein extra großes Bett. Dort können Sie schlafen, da hören Sie die Yankees nicht.«

»Und wir haben ein Programm für Sie: Fliegenfischen für Anfängerinnen.« Wayne lächelt mich erwartungsvoll an.

Gut, dass ich in jenem Moment noch nicht ahne,

dass er neben dem offiziellen Programm noch ein inoffizielles Programm mit dem Titel hat: »Wie ich eine Europäerin auf kanadischem Boden verführe. Eine Strategie in fünf Schritten.«

Aber als Bill vernimmt, dass ich mit dem Greyhound-Bus in den Norden von British Columbia gereist bin, erzählt er mir zuerst noch eine Gutenachtgeschichte. »Sie haben sicher gehört, dass ein verrückt gewordener Passagier, ein Immigrant aus China, in einem Greyhound einen schlafenden jungen Mann erstochen hat? Einfach so. Weil er angeblich Stimmen gehört hat. Den Kopf hat er ihm abgetrennt und gewisse Körperteile gegessen. Aber ich will jetzt nicht ins Detail gehen. Schlafen Sie gut.«

Zwei Stunden später liege ich immer noch wach im Bett, obwohl draußen überhaupt keine balzenden Waldhähne stottern wie absterbende Motoren. Wenn mir jetzt noch einer eine Horror-Geschichte erzählt, fange ich an zu schreien.

Der nächste Tag beginnt mit einem gemütlichen Frühstück mit Speck, Eiern, Bratkartoffeln, Pfannkuchen, Ahornsirup, Toast und Kaffee. Die Menge auf meinem Teller hätte eine Fußballmannschaft satt gemacht. Kanadier halten nichts von kleinen Portionen.

»Alles ist groß bei uns, daran müssen Sie sich gewöhnen«, sagt Bill, »das Land, die Flüsse, die Seen, die Gletscher, die Bären, die Wale. Russland ist zwar noch größer als Kanada, aber das spielt keine Rolle. Entscheidend ist, dass Kanada flächenmäßig größer als die USA ist.«

»Ach, das ist noch gar nichts«, sagt Wayne, der sich gleich drei Spiegeleier auf den Teller geladen hat. »Manche kanadischen Dörfer haben mit riesigen Attrappen Weltrekorde aufgestellt. In Kanada gibt es den größten Bürostuhl, den größten Dinosaurier, den größten Cowboy-Stiefel, die größten Langlaufski, den größten Eishockeystock, die größte Axt, die größte Wetterfahne, den höchsten Totempfahl, die größte stehende Kuckucksuhr und die größte Landebahn für UFOs.«

»Nicht zu vergessen den größten Biberdamm der Welt«, ergänzt Bill.

Wayne nickt zustimmend. »Das soll auch so sein, schließlich ist der Biber unser Nationaltier.«

»Die Betten sind auch groß«, sage ich. »In meinem King-Size-Bett kann eine fünfköpfige Familie schlafen.«

»Ja, ja«, lacht Bill. »*Size matters in Canada.* Auf die Größe kommt es an.«

Auch Wayne grinst. »Wir brauchen große Betten, weil alles an uns Kanadiern groß ist.«

Ich wechsle rasch das Thema, bevor mir Wayne genauer erklären kann, was so groß an den kanadischen Männern ist. »Wo soll's denn heute hingehen?«

»Zuerst gibt's eine Lektion in Fliegenfischen, und dann gehen wir zum Lachsfischen an den Skeena.«

»Gibt's dort Bären?«

»Meine Liebe, hier gibt es überall Bären, wir sind in Bärenland!«

»Ich habe eine Bärenglocke mitgebracht, aber ich muss noch Bärenspray kaufen.«

Beide sehen mich mit einer Mischung aus Mitleid und Nachsicht an. In Waynes Augen glitzert etwas.

»Wissen Sie, dass man kürzlich einen Bären erlegt hat, und als man seinen Magen aufschnitt, was fand man darin? Ein Dutzend Bärenschellen! Und warum? Wenn die Bären eine Glocke am Rucksack eines Touristen hören, dann wissen sie gleich: Mein Futter ist im Anmarsch!«

Ah! Diese Geschichte kommt mir bekannt vor! Gail hat mich zum Glück davor gewarnt.

»Nein, so ist das nicht«, sage ich deshalb mit einem triumphierenden Lächeln. »Man hat im Magen des Bären alte Schauermärchen gefunden, die man ausländischen Touristen erzählt!«

»Sieh mal an!«, ruft Wayne. »Dann muss ich Ihnen auch nicht sagen, dass die weißen Bären in unserer Gegend keine Eisbären sind.«

Ich schneide eine Grimasse. Natürlich hatte ich schon vom weißen Kermode-Bären gehört, der aber kein Albino, sondern eine genetische Variante des Schwarzbären ist. Statt einer Antwort stehe ich auf und frage ganz unschuldig: »Gehn wir jetzt Fliegen fangen?«

Bill und Wayne sehen sich verdutzt an. »Wozu?«

Ich mache ein bierernstes Gesicht. »Fürs Fliegenfischen natürlich!« Dann lache ich frech.

So schnell, denke ich, werden die beiden nicht noch mal versuchen, mir einen Bären aufzubinden.

O-Ton Bill Henderson

»Hallo, mein Name ist Bill Henderson. Ich bin ein Meter neunzig groß und lang und dünn. Es soll ja Frauen geben, die so was mögen. (Lachen) Ich lebe in der Nähe von Terrace, was ein kleines Nest ist im Vergleich zur Großstadt Toronto, woher ich ursprünglich komme. Ich kam nach Terrace, weil es hier viele Lachse in den Flüssen gibt. Meine Leidenschaft ist das Fischen, deshalb lasse ich mich für euch beim Fliegenfischen filmen.

Das ist auch was für Frauen, bestimmt. Immer mehr Frauen begeistern sich fürs Fliegenfischen, ich sage immer, es ist wie meditieren. Man steht im Fluss, wie ich hier, man wird Teil des Flusses, rundherum Natur, das Wasser strömt vorbei, ich habe immer das Gefühl, es strömt durch meinen Körper hindurch – gibt es etwas Besseres für die Seele? Und dann erlebt man natürlich diesen Kick, wenn ein Lachs anbeißt und sich die Leine strafft. Die Lachse sind großartige Kämpfer, sie haben eine unglaubliche Kraft. Sie wollen nichts anderes, als den Fluss aufwärts schwimmen, um hier oben zu laichen. Sie schwimmen gegen den Strom, und das bewundere ich.

Aber ich weiß, ich soll von mir erzählen, und nicht nur vom Fischen. Ich führe also eine Fischer-Lodge, und das schon seit sieben Jahren. Meine Frau ist leider vor zwei Jahren mit einem reichen Amerikaner davongelaufen. Ich erziehe meine Tochter Sally allein. Sie ist vierzehn.

Nicht alle Jahre sind gut. Wenn der Lachs wegbleibt, dann kommen die Sportfischer nicht. Deshalb musiziere ich auch noch in einer Tanzkapelle, wir spielen so ziemlich alles, vor allem im Winter werden wir für viele Anlässe gebucht. Ach ja, ich bin der Mann am Bass, aber ich kann auch ein bisschen Klavier spielen.

Die Winter sind kalt und lang hier oben, viel Schnee, und die Straßen sind vereist. Ich habe Sally, das ist meine Tochter, sie besucht die Highschool, ein Schneemobil gekauft. Ich bin vielleicht nicht der romantische Typ, aber ich arbeite hart, und vielleicht gibt es eine Frau, die das zu schätzen weiß. Ja, und ich bin achtunddreißig Jahre alt und im Zeichen der Fische geboren. Na klar!«

4

Ein Fisch an der Angel

Jetzt weiß ich, wie ein Kanadier eine deutsche Journalistin verführt. Ich könnte ein Handbuch dazu schreiben. Eine Strategie in fünf Merksätzen.

Merksatz 1: Ich bin ein Naturbursche, authentisch, erdverbunden, ungezähmt.

Am Anfang meines imaginären Handbuches steht eine Liste mit der Ausrüstung. Die Liste beginnt mit drei Dingen:

Gummi.

Stiefel.

Rute.

Nein, falsch geraten, keine Utensilien für eine Domina, nur für eine Azubi im Fliegenfischen. Wenn mich meine Freundinnen jetzt sehen könnten! Oder meine Schwester Vera in Frankfurt. Ich werde ihr ein Foto schicken, das wird ihr ganz schön zu denken geben: Ich posiere in einer hüfthohen Wathose aus grünem Gummi und schweren Stiefeln, in der Hand eine Angelrute. Um mich herum strömt der Fluss Skeena, als wollte er mich gleich mitreißen und verschlingen.

Wayne steht wie ein Fels im Strom. Konzentriert wirft er immer wieder seine Leine ins Wasser. Am Morgen hat er mir das Einmaleins des Fliegenfischens beigebracht, zuerst als Trockenübung auf dem Rasen vor der Lodge. Ich muss sagen: Der Mann versteht etwas von Körperdeckung. Er ist dicht hinter mir gestanden und hat meinen Arm mit seiner Hand geführt. Immer wieder hat er seine Finger auf meine Haut gepresst, damit ich den richtigen Winkel für die Rute erwische.

»Richtung zwölf Uhr«, sagte er, oder »Richtung drei Uhr«, aber was soll man schon darunter verstehen? Ich musste die Rute ruckartig hochziehen und etwas nach hinten reißen, und dann nach vorne schleudern. Kein leichtes Unterfangen, wenn man von so viel ruhiger männlicher Überlegenheit abgelenkt wird.

Aber jetzt habe ich den Dreh raus und versenke Angel und Fliege genau dort, wo Wayne hinzeigt. Meine Fliege ist pink und violett und schillert, eine andere ist grün und silbern, und ich würde sie am liebsten als Schmuck an meine Ohrläppchen hängen. Die Berge jenseits des Skeena bilden eine prächtige Kulisse, und bislang hat sich noch kein Bär gezeigt. Nur ein einsamer Fischer steht weiter unten im Fluss. Plötzlich zieht etwas so kräftig an meiner Leine, dass ich beinahe ins Wasser falle. Aber Wayne ist schon bei mir und hält mich fest.

Er hilft mir zurück ans Ufer und sagt: »Laufen Sie jetzt auf und ab, machen Sie ihn müde.«

Leichter gesagt als getan. Ich renne in meinen hohen Stiefeln hin und her, mit einem Fisch an der Angel, der sich so schwer anfühlt wie ein mit Büchern gefüllter Koffer. Ich halte die Rute mit beiden Händen fest, aber der heftige Tanz des Lachses laugt mich schnell aus. Ich ziehe und ziehe, und als ich gerade aufgeben will, lande ich den Lachs am Ufer.

Merksatz 2: Der Kampf mit dem Lachs erschöpft die Europäerin derart, dass sie dir am liebsten müde in die Arme sinken würde.

»Donnerwetter, ein Königslachs«, sagt Wayne und drückt den Fisch auf den Boden. »Das gäbe ein schönes Abendessen.«

Er löst den Angelhaken aus den Lippen des Lachses und gibt ihn wieder an den Fluss zurück. Ach, wie ich ihn dafür bewundere! Wie schwer muss es ihm gefallen sein, das zu tun, nur mir zuliebe, weil ich es doch nicht übers Herz bringe, den Fisch sterben zu sehen.

Plötzlich legt sich ein Schatten über Waynes gebräuntes Gesicht.

»Ausziehen«, raunt er. »Rasch!«

»Was?« Ich starre ihn verwirrt an.

»Ziehen Sie schnell Ihre Wathose aus. Sofort!«

»Was fällt Ihnen eigentlich ein, ich –«

»Tun Sie, was ich sage, dort kommt ein Beamter des Fischereiministeriums, und wenn er Sie sieht, kriegen wir Scherereien.«

Scherereien mit einem kanadischen Ministerium, nein, das brauche ich wirklich nicht. Blitzschnell streife ich Stiefel und Gummihose ab, und Wayne versteckt sie ebenso blitzartig hinter einem großen Steinbrocken.

Jetzt sehe ich den Mann auch, als kleinen Punkt. Wayne muss einen siebten Sinn haben, denn der Mann trägt keine Uniform. Als er aber bei uns ankommt, hält er uns einen Ausweis entgegen.

»Schöner Tag heute, nicht?«, sagt er. »Haben Sie was gefangen?«

»Nur Catch and Release«, sagt Wayne.

»Kann ich Ihren Angler-Ausweis sehen?«, fragt der Beamte.

Wayne zieht ein Stück Papier aus seiner Tasche.

»Die Dame hier hat auch eine Genehmigung?«

»Nein, sie schaut nur zu«, sagt Wayne.

Der Mann mustert mich eindringlich und gibt Wayne den Ausweis zurück.

»Sie wissen, dass Sie eine Genehmigung brauchen, falls Sie fischen wollen«, sagt er zu mir. »Sie können sie bei Kroger in Terrace kaufen.« Dann verabschiedet er sich.

Wayne fährt sich mit der Hand über die Stirn. »Das ist noch mal glimpflich ausgegangen. Man kann nie vorsichtig genug sein, diese scharfen Typen sind überall.«

Ich verstehe nicht. »Was bedeutet denn *Catch and Release*?«

»Man darf die Lachse nicht mitnehmen, man muss sie wieder schwimmen lassen, weil es nicht mehr viele gibt.«

Ich bin enttäuscht. »Dann ... haben Sie es also nicht meinetwegen getan?«

Aber Waynes Gedanken sind woanders. »Gut, dass der Typ am Dienstag nicht hier war, das hätte mich eine Geldbuße von fünfhundert Dollar gekostet. Mindestens.«

»Sie haben einen Lachs illegal mitgenommen?«

Wayne legt den Arm auf meine Schulter. »Ja, was denken Sie, woher der Lachs stammt, den Sie am Dienstag gegessen haben? Er hat Ihnen doch geschmeckt, oder?«

Später schildere ich die Episode meiner Schwester Vera in einer E-Mail. Sie zieht wieder einmal alle Register.

»Was? Du und Fischen? Das hätte ich nie von dir gedacht!«

Obwohl sie nur fünf Jahre älter ist als ich, kann sie das Bemuttern nicht lassen. Und die leisen Vorwürfe auch nicht. Sie sieht mich bereits ein Jagdgewehr schultern.

»Ich warne dich«, schreibt sie dazu, »es ist illegal, Elchgeweihe oder Eisbärfelle nach Deutschland einzuführen.«

Vera reist nicht, sie surft im Internet. Dort findet sie immer allerhand. Sie schickt mir einen Text über die Jagdlizenzen in British Columbia, deren Zahl zurückgeht, was den Behörden nicht gefällt. Deshalb sollen vermehrt Frauen zur Jagd angehalten werden.

Ich und Jagd, jetzt übertreibt Vera aber. Nur weil ich einen großen Fisch an der Angel hatte.

»Keine Angst«, schreibe ich ihr zurück. »Ich übe hier nur ein bisschen mit der Flinte, um Deutschland vor den Wildschweinen zu retten.«

Meine kanadische Freundin Gail in Deutschland, der ich ebenfalls von Waynes Streich berichte, ist weniger besorgt.

»So sind viele Männer im Norden Kanadas«, schreibt sie, »die denken, sie hätten ihre eigenen Gesetze. Bezahlt er wenigstens seine Autoversicherung?«

»Weiß nicht«, antworte ich ihr. »Wir fahren mit einem gemieteten Wohnmobil.«

Als Antwort schickt sie mir ein Bild des früheren Ministerpräsidenten Pierre Elliott Trudeau im Kanu.

Ach, sie kennt meine Schwäche für Trudeau. Ich habe ihr ein Geständnis abgelegt. Vor einigen Jahren hatte ich zufällig in der Bibliothek eines österreichischen Wellness-Hotels ein Buch über ihn gefunden und verschlungen. Seither finde ich Trudeau eine höchst faszinierende Figur. Ein Rebell als Regierungschef, katholisch, aber mit vielen schönen Freundinnen an seiner Seite. Und Trudeau liebte die Wildnis. Was für eine Kombination: ein intellektueller Outdoor-Typ!

In Kanada allerdings, das habe ich bereits gemerkt, erweckt sein Name alle möglichen kontroversen Reaktionen.

Merksatz 3: Jage der Europäerin ein bisschen Angst vor der Wildnis ein, dann bewundert sie dich umso mehr.

»Bewegen Sie sich langsam zum Motorhome zurück«, sagt Wayne mit merkwürdiger Stimme.

»Warum?«, frage ich. »Was wollen wir denn jetzt schon beim Wohnmobil? Es ist doch schön hier, der See ist so ruhig, und hier haben wir sogar ein Stück Sandstrand.«

Ich bin im See geschwommen. Wayne hat mir vom Ufer aus zugesehen, er kann nicht schwimmen.

Jetzt packt er meinen Arm. Nicht liebevoll, eher ruppig.

»Kommen Sie. Es stinkt hier mächtig nach Bär.«

Nun habe auch ich die intensive faulig-heiße Ausdünstung in der Nase. So riecht also ein Bär! Und er ist so nahe! Ich wäre panikartig zum Motorhome gerannt, hätte Wayne mich nicht festgehalten.

»Nicht laufen!«

Ich spüre seinen Klammergriff um mein Handgelenk. Wir treten langsam und geordnet den Rückzug an. Tür zu. Gerettet!

»Ich bin ja so erschrocken«, sage ich kurzatmig.

»Dabei würde ich wirklich gern mal einen Bären sehen.«

»Dann zeig ich Ihnen einen Ort, wo Sie ungestört Grizzlys beobachten können«, sagt Wayne. »Haben Sie Lust auf einen Ausflug?«

Wie kann ich widerstehen? Tags darauf sind wir schon auf dem Weg Richtung Norden.

Die Landschaft ist so schön, dass ich immer wieder anhalten will. Aber wir können uns kaum im Freien bewegen, überall attackieren uns Mückenschwärme wie eine Armee auf Kriegszug.

Ich werfe einen Blick in den Spiegel und sehe dünne Blutspuren überall am Hals.

»Blutegel!«, rufe ich entsetzt.

Wayne nimmt ein Haushaltspapier und tupft das Blut sachte ab.

»Das sind No-see-ums, kleine, aber bissige Mücken mit scharfen Zähnen. Ich kann den Blutsaugern schon nachfühlen, dass sie in Ihren Hals beißen wollen.«

Beim Meziadin-See machen wir auf einem Zeltplatz halt.

»Am besten, Sie übernachten im Zelt«, sage ich sofort. »Ich möchte im Motorhome schlafen.«

Wayne lacht. »Sehen Sie diesen Käfig dort?« Er zeigt auf eine liegende Tonne mit Gittertür. »Das ist eine Bärenfalle. Vor zwei Tagen ist ein Bär durch den Zeltplatz marschiert, hat mir gerade einer erzählt. Ich möchte nicht unbedingt als Köder verschlungen werden.«

In Kanada brechen solche Argumente jeglichen Widerstand. Was soll ich sagen? Ich kann schließlich nicht den Tod meines Outdoor Guides in Kauf nehmen. Wayne schläft also auch im Motorhome. Allerdings ist meine Rücksicht vergeblich: Am Morgen ist kein Bär in der Falle zu sehen. Wir fahren weiter bis zur nächsten Abzweigung bei Meziadin Junction und dann nach Stewart, einer ehemaligen Goldgräberstadt.

Dort überqueren wir die Grenze zum amerikanischen Bundesstaat Alaska, nachdem wir den Grenzbeamten glaubwürdig versichert haben, keine Zigaretten zu schmuggeln. Das Motorhome parken wir am Fish Creek, einem Fluss, an dem bereits ein Fressgelage im Gang ist. Grizzlys rennen am Ufer auf und ab und planschen durchs Wasser, während sie Lachse herausholen. Ein Aufseher beobachtet die Touristen, die den braunen Riesen ihre Kamera-Objektive entgegenstrecken. Die Bären sind in einem solchen Fressrausch, dass sie die Touristen kaum beachten.

Wayne führt mich über eine Holzbrücke, als direkt unter uns ein Grizzly auftaucht. Ich bin so aufgeregt, dass die Kamera in meinen Fingern zittert. Einige Schritte weiter vorne führt ein Pfad durchs Gebüsch zum Fluss hinunter. Ich will durch die Lücke einen Bären am Wasser fotografieren. Wieder fasst Wayne mich am Arm und zieht mich rasch weiter.

»Das ist ein Bärenpfad, da sollten Sie sich nie hinstellen«, sagt er.

Wayne ist mit der geheimnisvollen Welt der Bären vertraut. Er kennt deren Instinkte und Sitten. Mir wird ganz warm. Er ist so souverän. Mein kanadischer Held, mein Beschützer.

Merksatz 4: Mit einem Kanu kommt man schneller zum Ziel.

Ich zücke meinen Fotoapparat und nehme Wayne ins Visier. Das Kanu schaukelt, und ich schaukle mit. Wayne schwebt im Zustand der Glückseligkeit. Im Hintergrund ein von Wald umsäumter, einsamer See, im Vordergrund unsere Rucksäcke. Ich drücke auf den Auslöser meiner Kamera und sage: »Dieses Bild werde ich die kanadische Dreifaltigkeit nennen: Paddel, Angelrute, Zigarette.«

Er spritzt mich mit dem Paddel an.

»Jetzt siehst du wirklich wie ein richtiger Kanadier aus«, sage ich.

Wayne zieht an der Zigarette und bläst den Rauch nach oben.

»Zu einem richtigen Kanadier gehört aber noch etwas«, sagt er verschmitzt. »Schon was von Pierre Berton gehört?«

Ich nicke. *Sure.* Pierre Berton ist so etwas wie Kanadas Nationalschriftsteller. Ich beneide Pierre Berton. Nicht darum, dass er 2004 gestorben ist. Aber um seine Arbeitswut. Der Mann war ein Phänomen. Als Journalist konnte er Tag für Tag eine Kolumne von 1500 Wörtern schreiben. Jeden Tag 1500 originelle und bedeutsame Wörter. Manche Kolumnen schrieb er in knapp einer halben Stunde. Das sind fünfzig Wörter pro Minute! Und das war noch nicht alles.

Im Alter von vierundachtzig Jahren hatte er bereits fünfzig Bücher geschrieben. Und was für Bücher. Über die kanadische Geschichte, den kanadischen Norden, den kanadischen Goldrausch, die kanadische Eisenbahn, über mutige Kanadier und ja, auch Kinderbücher.

Gail findet, die Kanadier schätzten Pierre Berton nicht genug. Sie hat auf einem Treffen der Deutsch-Kanadischen Gesellschaft einen Vortrag über ihn gehalten. Dort hat sie erzählt, Berton habe drei Qualitäten gehabt, die Durchschnittskanadiern fehlten: Fleiß, Patriotismus und Bosheit.

»Ohne Pierre Berton wäre Kanada ein ziemlich weißer Fleck im öffentlichen Geschichtsbewusstsein«, sagte sie damals mit einem gewissen Pathos. (Auch Pathos ist etwas, das den meisten Kanadiern fehlt.)

Gail mag Pierre Berton auch, weil er sich im kanadischen Fernsehen in einer Satiresendung als Haschisch-Raucher bekannte. Er hat den Zuschauern sogar Tipps gegeben, wie man einen Joint richtig rollt. Das kann man sich in Kanada aber nur erlauben, wenn man über achtzig ist und dreißig Literaturpreise gewonnen hat. Auf alle Fälle hat es niemand gewagt, den greisen Berton wegen illegalen Drogenkonsums zu verhaften.

Und wie dankten es die Kanadier diesem Patrioten, der ihrem Land historische Größe verliehen hat? Zwei Jahre vor seinem Tod, als das kanadische Fernsehen CBC vom Publikum wissen wollte, wer »Der größte Kanadier« aller Zeiten sei, kam Berton auf den 31. Platz. Jawohl, einunddreißig. Unter den ersten zehn hingegen war ein bekannter Eishockey-Reporter namens Don Cherry und die Eishockey-Legende Wayne Gretzky. Gut, Alexander Graham Bell, der die Erfindung des Telefons patentierte (er gilt aber heute nicht mehr als der eigentliche Erfinder), befand sich auch in der Spitzengruppe. Trotzdem.

»Ja, ja«, sage ich jetzt zu Wayne. »Ich weiß, was Pierre Berton über die Kanadier gesagt hat: *We are a nation of canoeists.* Wir sind eine Nation von Kanufahrern.« Ich bin ganz stolz auf meine Kenntnis und doziere gleich weiter: »Er hat auch gesagt, es sei nur mit dem Kanu zu erklären, dass ein horizontales Land mit vertikalen Ebenen und Bergen erschlossen werden konnte. Die Siedler und Pelzhändler paddelten einfach die Flüsse rauf und runter.« Wie gut, dass ich nicht immer die Unwissende in diesem Land bin!

Aber Wayne schaut nur noch verschmitzter. »Das meine ich nicht. Ich denke an ein anderes Zitat. Wissen Sie, was einen Kanadier definiert?«

Er legt ·eine Kunstpause ein, und dann platzt er damit heraus: »*A Canadian is somebody who knows how to make love in a canoe.*«

»Soso«, sage ich lächelnd. »Ein Kanadier ist jemand, der weiß, wie man Liebe in einem Kanu macht. Sind Sie also ein Kanadier?«

Wayne lacht. »Ich würde sagen, das ist eine der großen kanadischen Mythen. Alle behaupten, dass sie es im Kanu getrieben hätten. Wenn Sie mich fragen, hat die große Mehrheit der Kanadier aber noch nicht einmal in einem Kanu gesessen.« Er lässt sein Paddel sinken. »Die meisten Kanadier leben doch in Städten und waren noch nie in der Wildnis. In Wirklichkeit sind wir ein total urbanes Land. Diese Leute kennen Kanus nur vom Hörensagen. Und jene, die damit prahlen, sie hätten es im Kanu getrieben, haben wahrscheinlich Sex mit sich selbst gehabt.«

Bevor ich etwas sagen kann, fasst Wayne so plötzlich an die Angelrute, dass unser Kanu gefährlich ins Wanken gerät. Etwas zappelt ganz wild an ihrer gespannten Leine, und die Rutenspitze neigt sich gen Wasser. Ich halte mich an der Sitzbank fest, um nicht das Gleichgewicht zu verlieren.

Kurz darauf hält Wayne triumphierend einen großen Fisch in den Händen. Er zwinkert mir zu.

»Diesen Schmaus werden wir auch an Land genießen«, sagt er. »Oder finden Sie es etwa praktisch in
einem Kanu?«

*Merksatz 5: Um die europäische Festung zu stürmen,
braucht es Manitous Hilfe.*

Die Sonne scheint über der Meeresenge von Old Masset. Trommelwirbel steigen in den blauen Himmel.
Vor dem Haus des Häuptlings der Haida-Indianer
schnitzen Männer an einem Totempfahl. Elf Meter
misst das Monument.

»Die werden etwa drei Tage lang daran arbeiten«,
sagt Wayne.

Er kennt sich bestens bei den Indianern aus, die
man zwar politisch korrekt First Nations nennen
sollte, aber das macht im normalen Sprachgebrauch
so gut wie niemand.

»Die Indianer, die ich kenne, nennen sich selbst
auch Indianer«, sagt Wayne. »Und ihren Stammesrat
nennen sie Indian Council. Aber manche mögen es
trotzdem nicht, wenn Außenstehende sie Indianer
nennen.«

»In der deutschen Sprache hat das Wort nichts Ab-
wertendes«, erwidere ich. »Im Gegenteil, wir bewun-
dern alles, was indianisch ist.«

Deshalb bin ich ganz hingerissen, als ich sehe, wie
der Totempfahl Gestalt annimmt, der, wie Wayne mir
erklärt, die Geschichte der Vorfahren darstellt.

»Es ist wie eine mythologische Geschichte der
Ahnen«, sagt er. »Die Geschichte des Clans erscheint
nach Haida-Tradition in Tiergestalt, im Raben, Adler,
Bären oder Wal.«

Ich fotografiere die Stammesältesten, die der Zeremonie beiwohnen und denen größter Respekt entgegengebracht wird. Ihre rotschwarzen oder blauen Gewänder, mit weißen Perlmuttknöpfen bestickt, sind so ganz anders als bei den Indianern, die ich in Filmen gesehen hatte. Wieder einmal ist die Realität spannender als die Fiktion auf der Mattscheibe.

Ich lasse mich vom Dröhnen der Trommeln einlullen. Noch steckt mir der Sturm in den Knochen, den wir auf der Fähre von Prince Rupert zu den Inseln von Haida Gwaii aushalten mussten. Die Hecate-Wasserstraße ist das gefährlichste Gewässer an der Nordwestküste Kanadas. Das habe ich in einem Buch über die Haida-Indianer gelesen. Was nicht darin stand, sagten mir alle Kanadier, denen ich von meinen Reiseplänen erzählte: »Nimm vorher Gravol.« Ich verstand erst überhaupt nicht. »Gravel« heißt auf Deutsch doch Kies. Warum sollte ich Kies zu mir nehmen? Es stellte sich als eines der vielen Missverständnisse von Neuankömmlingen heraus: Gravol heißen die gebräuchlichsten Pillen gegen Seekrankheit.

Und wie ich die brauchte! Die Fähre torkelte während unserer Fahrt schwer durch die hohen Wogen, und mein Magen ging mit ihr auf und ab. Wie haben das die Haida-Indianer nur gemacht? In achtzehn Meter langen Kanus sind sie einst über die Hecate Strait gepaddelt. Hier treffen unterschiedliche Windströmungen aufeinander. Diese Stürme über dem Ozean machen selbst modernen Seefahrern noch zu schaffen. Doch die furchtlosen Haida-Indianer, die seit fast zehntausend Jahren auf den Haida-Gwaii-Inseln leben, schreckten sie nicht ab. Als stolze Krieger terrorisierten sie jahrhundertelang andere Indianerstämme an der gesamten Pazifikküste, von Alaska bis nach Vancouver Island. Die Überlebenden verschleppten sie als Sklaven für die wohlhabende und aristokratische Haida-Elite.

Das habe ich im Museum von Prince Rupert erfahren. Kanadische Indianer terrorisieren andere kanadische Indianer! Sind die Kriege nicht von den Weißen importiert worden? Mein Bild vom edlen Wilden, das ich seit der Lektüre von Karl Mays Büchern in meiner Jugend in mir trage (ich weinte tagelang, als der Indianerhäuptling Winnetou starb), ist jetzt ziemlich erschüttert.

Die Autofähre brauchte sechs Stunden für die Überfahrt von der Hafenstadt Prince Rupert zur größten Haida-Insel Graham.

In Prince Rupert hatte mir Wayne eröffnet, dass in seinem Geldbeutel momentan Ebbe herrsche, und ob ich nicht vielleicht aushelfen könne. Ich hatte nur kurz überlegt. Wie könnte ich ihm nicht helfen, wenn er mir so viel zeigt? Und wenn er sich so liebevoll um mich kümmert? So zückte ich die Kreditkarte, als Wayne auf der Fähre beschloss, wir bräuchten eine Kabine, um die Seekrankheit in Schach zu halten. Das war natürlich nur die offizielle Begründung, weshalb er mit mir eine Kabine teilen wollte. Und ich hatte nichts dagegen.

Was soll's. Ohne Wayne würde ich dies hier nie erleben. Jetzt, da ein Haida alte Lieder singt, schiebe ich meine Bedenken ganz tief ins Kämmerchen des Verdrängens.

Am dritten Tag ist der Totempfahl fertig. Unter Gesängen und Beschwörungen wird er eingeweiht.

»Die Haida sind wirklich großartige Künstler«, sage ich zu Wayne.

Der nickt. »Ja, das kommt nicht von ungefähr«, sagt er. »Weil die Sklaven die Arbeit machten und weil sie immer genügend Nahrung aus dem Meer hatten, konnten sie sich ausgiebig der Kunst widmen. Den Weißen haben sie übrigens die Felle der Meerotter verkauft, bis die Tiere fast ausgerottet waren.«

Ich will mir nicht den Tag verderben lassen, denn was ich nun erlebe, schlägt mich ganz in den Bann. Die Haida haben mehrere Seile am Totempfahl befestigt. Daran ziehen nun etwa hundert Menschen, Indianer und Weiße gemeinsam.

Und in diesem Moment – ich traue meinen Augen kaum – taucht ein schwarz-weißer. Orca-Wal in der Meerenge von Old Masset auf! Das mythische Tier der Westküsten-Indianer! Jubel brandet dem Orca entgegen, Frauen, Männer, Kinder begrüßen ihn als gutes Omen. Was für ein magischer Moment! Mir stehen Tränen in den Augen.

Wayne nimmt mich in die Arme. »Manitou hat es gut mit uns gemeint«, sagt er.

Und ich schmelze in seinen Armen dahin.

Wie kann ich mich da aufregen, als er den Autoschlüssel unseres Mietwagens (auch den bezahle ich) im Sand verliert, auf dem dreizehn Kilometer langen, unberührten North Beach, einem silbernen Strand auf der Insel Graham? Das war, nachdem er mir die Schöpfungslegende der Haida erzählt hatte, wie die ersten Menschen aus einer Muschel krabbelten, die ein Rabe mit spitzem Schnabel geöffnet hat.

»Die Menschen waren zuerst ängstlich und vorsichtig und wollten lieber wieder in die Muschel zurück«, erzählt er mit seiner sanften, tiefen Stimme. »Aber als der Rabe ihnen die überwältigende Schönheit der Welt beschrieb, überwanden die ersten Haida ihre Furcht und begannen die Inseln zu bevölkern.«

Ach, wie viel besser gefällt mir diese Schöpfungsgeschichte als das Drama um Adam und Eva mit dem bösen Ende!

Und dann war der Autoschlüssel weg! Fast hätten wir den Wagen stehen lassen und in der Dämmerung vier Stunden zum nächsten Zeltplatz zurückwandern müssen. Aber nach intensiver Suche fand Wayne den Schlüssel wie durch ein Wunder im Sand. In jenem Moment wusste ich noch nicht, dass ihm solche Missgeschicke ziemlich oft passieren.

Er hielt den Schlüssel theatralisch gen Himmel: »Manitou meint es wirklich gut mit uns.«

Und wie sich bald herausstellen wird, führt mich der Gott der Indianer einige Monate später nach Vancouver. Als freie Korrespondentin. Und mit Wayne im Schlepptau.

Nach meinem Urlaub kehre ich nur kurz nach Deutschland zurück, verliebt und zuversichtlich, dass ich in Kanada eine neue Existenz aufbauen kann. Ein neues Leben, ein neuer Mann, eine neue Stadt, ein Neuanfang!

5

Vancouver, ich komme!

Mir schwant schon Ungutes, bevor der Hausmeister die Tür zum Bad öffnet. Wenn die Toilette nochmals altrosa ist oder die Badewanne lachsrosa, dann schreie ich. »Hier ist das Bad«, sagt der Hausmeister. Ich werfe einen Blick hinein. Ich schreie natürlich nicht, aber dafür schreit mir nichts als Rosa entgegen.

»Wann war denn diese Farbe Mode?«, frage ich bedrückt.

Der Hausmeister verzieht keine Miene. »In den sechziger Jahren.« Und wie als Entschuldigung fügt er hinzu: »Sie finden sie in vielen Hochhäusern in Vancouver.«

Das muss er mir nicht sagen, das konnte ich in den vergangenen Wochen zur Genüge feststellen. Viele Mietwohnungen haben nicht nur rosafarbene Bäder, sondern auch Küchenschränke aus einem hässlichen Holzimitat, die man am liebsten gar nie anschauen, geschweige denn öffnen würde. Die Besitzer dieser Hochhäuser in Vancouvers Innenstadt halten offensichtlich nichts vom Renovieren.

Ach, Vancouver, du wirst doch »City of Glass« genannt, Stadt der glitzernden Glastürme und der urbanen Hipness, warum entziehst du dich mir? Seit Wochen suche ich eine erschwingliche Bleibe in dieser vielbewunderten Metropole am Pazifik, aber bislang ohne Erfolg.

»Vielleicht solltest du dir etwas kaufen?«, sagt Tina, in deren Gästebett ich schlafe, bis ich fündig werde. Tina hat früher einmal als kanadische Austauschstudentin bei meinen Eltern in Sossenheim gewohnt. Danke, Mutti, dass deine preisgekrönte Grüne Soße mit Kartoffeln sich jetzt für mich auszahlt. Tina ist Bibliothekarin von Beruf, wurde aber temporär von mir als Schutzengel eingesetzt. Den braucht man im Dschungel des Immobilienmarktes von Vancouver. Denn der spielt verrückt. Oder er ist, wie die Kanadier sagen, »through the roof«, durchs Dach gebrochen, was auch bildlich ziemlich zutrifft.

Es scheint, dass alle Leute der Welt in Vancouver leben wollen. Kein Wunder bei diesem milden Klima, den Bergen rundum und den Stränden mitten in der Stadt. In der Zeitung sagte ein Immobilienkönig, Vancouver sei nicht bekannt für Kunst oder Geschichte oder spannende Ereignisse, Vancouver sei »a real estate city«, eine Stadt der Immobilien. Wenn das nicht aufregend ist.

»Etwas kaufen?« Ich muss beinahe lachen. »Ich glaube, Vancouver ist teurer als Frankfurt, und das will etwas heißen.«

Tina kann mich nicht verstehen. Sie hat ihren Immobilienbesitz strategisch aufgebaut, denn Immobilienbesitz definiert den kanadischen Selbstwert. Sie hat sich bereits als Studentin mit Hilfe ihrer Eltern eine kleine Eigentumswohnung gekauft und sich dann langsam hochgearbeitet. Der soziale Aufstieg verläuft hier geographisch, das heißt von einem weniger guten Stadtviertel zu einer exklusiveren Gegend.

Der Wert der Wohnung, die Tina zusammen mit ihrem Mann Frank teilt, hat sich in sechs Jahren verdreifacht und nähert sich jetzt, wie sie mir verriet, der

Millionengrenze. »Ohne dass wir dafür einen Finger rühren mussten«, sagt sie stolz.

Die beiden besitzen nicht nur die gemeinsame Hypothek, sondern haben auch noch in ein Condominium investiert, das sie vermieten. Ein solches Condo, wie Eigentumswohnungen hier genannt werden, empfiehlt sie mir heiß. Sie kann nicht begreifen, dass ich nicht alle meine Ersparnisse in ein solches Abenteuer investieren will.

»Mit Immobilien liegst du nie falsch«, wiederholt sie wie ein Mantra, was so ziemlich dem Credo der meisten Kanadier entspricht. Als ob es nie Marktzusammenbrüche gegeben hätte. Dass ich von meinen Eltern dazu erzogen wurde, keine Schulden zu machen, findet Tina so skurril, dass sie es allen Freunden erzählt. »Das ist wie Geld wegwerfen«, sagt sie jedes Mal.

»Nein, das ist verantwortungsbewusst«, gebe ich zurück.

»Sind wir das etwa nicht?«, ruft Tina und hält mir wenig später ein Blatt mit einem gelb markierten Zitat entgegen: »Der Besitz eines Hauses scheint als Investition dem nationalen Charakter Kanadas zu entsprechen: Er ist *verantwortungsvoll, praktisch und risikoscheu.*«

Die letzten Worte liest sie mit besonderem Nachdruck.

Was kann ich darauf noch sagen?

Um ihren Worten Taten folgen zu lassen, schleppt sie mich in einen neu erbauten Wohnturm, in dem eine Modellwohnung zu besichtigen ist. Modell ist ein passendes Wort, wenn man es auf die bescheidene Größe des Condos bezieht. Im Schlafzimmer hat ein schmales Doppelbett Platz, aber sonst nichts, und das

Bad ist nur mit einer Glasscheibe abgetrennt. So viel zur Privatsphäre.

Doch Tina ruft: »Sieh mal, der Kühlschrank ist aus rostfreiem Stahl und die Küchenablage aus Marmor!«

Aber ich schaue um die Ecke: »Das Büro ist nichts anderes als ein geschlossener Balkon!«

»Das ist kein Balkon, das nennt man Den. Ein Den ist ein Zimmer ohne Einbauschrank«, erklärt Tina ungerührt. »Du musst einfach papierfrei arbeiten, dann brauchst du keinen Aktenschrank.«

Ich seufze. Glücklicherweise hört meine Ressortleiterin Sabine Vilmar nicht mit. Die ist nicht sonderlich glücklich darüber, dass ich in Kanada bin.

»Fahren Sie da doch zum Urlaub hin, aber nicht zum Arbeiten«, sagte sie, als ich sie über meinen Entschluss informierte. »Ich würde Sie lieber in Frankfurt behalten.«

Ich schüttelte den Kopf. »Sie sagen uns doch immer, wir sollten einen frischen Blick auf den Ort bewahren, über den wir berichten. In Kanada werde ich einen besonders frischen Blick haben.«

Sabine Vilmar spielte mit einem Kugelschreiber. »Wir werden neben der Zeitung ein neues Hochglanzmagazin aufbauen. Da würden Sie doch hineinpassen. Sie hatten immer schon gute Ideen.«

»Frau Vilmar, ich habe meine Entscheidung schon gefällt.«

Sie sah mich fast wehmütig an. »Keine deutsche Zeitung hat eine feste Korrespondentenstelle in Kanada. Was sagt Ihnen das?«

Ohne mit den Wimpern zu zucken, antwortete ich: »Es wird mir Spaß machen, den weißen Flecken auf der Landkarte mit spannenden Geschichten zu füllen.«

»Das ist aber ein sehr großer weißer Fleck, den Sie da füllen wollen.«

Ich streckte meinen Rücken. »*I'm always up for a challenge.*«

»Na ja, über Herausforderungen werden Sie sich sicher nicht zu beklagen haben«, sagte Sabine Vilmar. »Wie kalt ist es im Winter in Kanada? Vierzig Grad unter null?«

Eben, deswegen bin ich ja im warmen Vancouver auf Wohnungssuche. Mieten kann in dieser Stadt nicht so schlimm sein, sage ich mir, sonst wäre die Zahl der Mieter nicht so hoch, nämlich über fünfzig Prozent, was für kanadische Verhältnisse ziemlich außergewöhnlich ist.

Ich verheimliche meinem kanadischen Schutzengel Tina, dass bald ein Mann meine künftige Wohnung teilen könnte. Aber einen, der die Wildnis sein Zuhause nennt, kann man nicht in eine moderne Yuppie-Klause sperren. Wayne hat vor einigen Tagen seinen Umzug nach Vancouver angekündigt, weil er, wie er sagt, ohne mich nicht mehr leben will.

So mache ich mich auf die Suche nach einer Mietwohnung im West End, nahe des Stanley Park und der Robson Street, die früher Robson Straße hieß, weil dort so viele deutsche Immigranten lebten.

Von der Robson Straße aus kann ich fast alles zu Fuß erreichen, denn eigentlich ist das Stadtzentrum von Vancouver übersichtlich und kompakt. Die Kanadier machen es mir auch einfach: Schilder auf dem Grundstück weisen darauf hin, dass etwas zur Vermietung oder zum Verkauf ansteht. So wandere ich von Wohnturm zu Wohnturm, und wenn ich vor dem Eingang ein Schild mit einer freien Wohnung sehe, rufe ich die angezeigte Telefonnummer an.

Beim zweiunddreißigsten Anruf meldet sich eine Hausmeisterin. »Lassen Sie sich vom Zustand der Wohnung nicht abschrecken«, sagt sie zur Begrüßung, »der Mieter ist einfach abgehauen und hat sie so zurückgelassen. Wir werden sie natürlich wieder instand setzen.«

Schlimmer als rosa Badezimmer kann es ja nicht sein, denke ich. Aber ich rechne nicht mit der Zerstörungswut gewisser kanadischer Mieter.

Tapfer übersehe ich den geschundenen Teppich, der einst beige gewesen sein muss, die verschmierten Wände, das zurückgelassene rostige Bettgestell, die Abfallberge in der Küche und den Hundekot im Bad. Ich registriere dafür den Gaskamin, die zwei Badezimmer, den Wintergarten und viele, viele Fenster.

»Wir werden alles wieder herrichten«, wiederholt die Hausmeisterin. Sie hat mich in der Tasche.

»Ich nehme die Wohnung«, sage ich.

Erfreut erwidert sie: »Dann setzen wir gleich den Mietvertrag auf. Ich brauche dazu drei Referenzen, und ich werde Ihre Credit History überprüfen lassen.«

»Was ist eine Credit History?«

»Wir wollen sehen, wann Sie Geld geborgt haben und ob Sie Ihre Schulden pünktlich zurückzahlen.«

»Ich habe keine Schulden. Ich habe nie welche gehabt.«

Sie schaut mich an, als wäre ich ein Marsmensch.

»Aber Sie haben doch eine Kreditkarte, nicht wahr?«

»Ich habe eine deutsche Kreditkarte, aber noch keine in Kanada. Ich habe gerade erst ein Bankkonto eröffnet.«

»Oh, verstehe.« Sie scheint etwas aus dem Konzept gebracht. »Ich brauche aber Ihre Credit History in Kanada, nicht in Deutschland.«

Ich sehe schon die wunderbare Wohnung in der siebten Etage entschwinden. Da muss doch etwas zu machen sein.

»Ich bin liquide«, sage ich, »das kann ich Ihnen versichern. Ich habe Ersparnisse auf meinem Konto.«

Sie runzelt die Stirn. »Auf Ihrem kanadischen Konto?«

»Nein, noch nicht, ich muss das Geld noch überweisen lassen.«

Sie ist jetzt wirklich unschlüssig geworden.

Ich will diese Wohnung, denke ich, ich will diese Wohnung mit den zwei Bädern, dem Kamin und dem Wintergarten.

Plötzlich kommt mir eine Idee. »Ich lasse von meiner Bank in Deutschland eine Liste all meiner Einlagen anfertigen, dann werden Sie sehen, wie liquide ich bin.«

Ihre Miene hellt sich auf. »Ja, so machen wir das!«

Am nächsten Tag gehe ich zur Bank und will mir eine Kreditkarte ausstellen lassen.

Aber was sagt die Kundenberaterin? »Wir brauchen Ihre Credit History.«

»Ich habe eine deutsche Kreditkarte«, sage ich.

»Das können wir Ihnen leider nicht anrechnen«, sagt die Dame höflich.

Ich hätte fast mit den Füßen gestampft. »Aber wie komme ich zu einer Credit History, wenn ich nicht mit der Kreditkarte Schulden machen und beweisen kann, dass ich die Schulden pünktlich zahle?«

Die Bankangestellte ist ratlos, aber unnachgiebig.

Ich lasse einige Tage verstreichen. Wenn meine

Überweisung aus Deutschland eintrifft, dann wird die Situation ganz anders aussehen, tröste ich mich.

»Ist das Geld schon angekommen?«, frage ich bei meinem nächsten Besuch auf der Bank hoffnungsvoll.

»Können Sie sich ausweisen?«, fragt die Angestellte.

Ich reiche ihr die Bankkarte.

»Ich brauche auch Ihren Führerschein.«

Ich bin verblüfft. »Meinen Führerschein? Wozu?«

»Damit ich Ihre Identität feststellen kann.«

Ich reiche ihr meinen deutschen Pass.

Sie kaut auf ihren Lippen. »Sie haben keinen kanadischen Führerschein?«

»Nein, noch nicht.«

»Den sollten Sie sich so schnell wie möglich zulegen«, sagt sie. »Ohne Führerschein existieren Sie in Kanada so gut wie nicht.«

Ich kehre zu Tinas Haus zurück und schütte ihr mein Herz aus. Sie ist nicht überrascht.

»Ich weiß, das ist verrückt hier. Der Führerschein ist in Kanada das wichtigste Ausweisdokument. Viele Leute haben keinen Pass.«

»Aber nicht alle Leute fahren Auto, oder?«

»Doch, ziemlich alle. Du wirst dir bald auch kein Leben ohne Auto mehr vorstellen können.«

»In Vancouver schon. Ich komme überall mit Bus und SkyTrain hin. Oder mit dem Fahrrad.«

»Aber nicht im Rest des Landes.«

Ich atme tief ein. »Und wie kommt jemand zu einer Credit History, der niemals im Besitz einer kanadischen Kreditkarte war, aber eine Kreditkarte möchte und ohne Credit History keine bekommen kann?«

Tina nickt mit ernster Miene. »Ja, ich weiß, das

ist nicht einfach. Solche kniffligen Situationen gibt es immer wieder. Wenn sich etwa ein neuer Einwanderer um einen Job bewirbt, verlangen die Firmen Arbeitserfahrung in Kanada. Aber wie bekommt man Arbeitserfahrung in Kanada, wenn man keine Stelle erhält?«

Dann legt sie mir beruhigend die Hand auf meinen Arm. »Mach dir mal keine Sorgen wegen der Kreditkarte. Frank hat einen alten Freund bei der Royal Bank, der kann dir eine Kreditkarte beschaffen.«

Und so geschieht es denn auch.

Jetzt habe ich nicht nur eine kanadische Credit History, sondern auch ein kanadisches Credit Rating, das meine Kreditwürdigkeit bewertet. Franks alter Freund, der mein inoffizieller Berater geworden ist, verrät mir, dass ich ab und zu das Credit Rating kontrollieren soll. Da würden sich manchmal Fehler einschleichen, sagt er. Aber ich solle es nicht allzu oft kontrollieren, denn bei jeder Anfrage gebe es Abzüge von meiner Kreditwürdigkeit.

Die Logik dieses Systems entgeht mir irgendwie.

Eine Woche später ruft mich die nette Hausmeisterin an. »Ihre Bankliste wurde akzeptiert, und die Wohnung ist bezugsbereit«, sagt sie. »Sie werden sich freuen. Wir haben in allen Zimmern den Spannteppich herausgenommen und ersetzt. Willkommen in Ihrer ersten Wohnung in Vancouver!«

Ich bin euphorisch. Mit zitternden Händen schließe ich die Tür zu meinem neuen Zuhause auf.

Dann bleibe ich wie angewurzelt stehen.

Der neue Teppich ist rosa.

6

Biber vor dem Zelt

Die Schlange vor der Kasse im Elektronik-Markt wird länger und länger. Unser neuer Fernseher ist schuld daran. Wayne und ich richten unsere Wohnung ein, und ein großer Fernseher steht bei Wayne ganz oben auf der Prioritätenliste. Jetzt liegt das Gerät in unserem Einkaufswagen. Wir können das schwere, sperrige Ding aber nicht auf das Laufband heben. Und unglücklicherweise ist der Abstand zur Kasse zu groß, als dass der Kassierer seinen Scanner über den Strichcode auf der Verpackung gleiten lassen könnte. Ein Verkäufer eilt herbei und liest die Artikelnummer ab, die der Kassierer in seinen Computer tippt. »7H-6SK8YMEI898-KS4/289.«

Der Kassierer schüttelt den Kopf. »Nein, da kommt nichts. Können Sie die Nummer nochmals lesen?«

»7H-6SK8YMEI898-KS4/289.«

Die Miene des Kassierers verrät, dass es auch diesmal nicht geklappt hat.

Dritter Anlauf des Verkäufers. »7H-6SK8YMEI898-KS4/289.«

Die Leute an der Kasse sehen sich verstohlen an. Allen ist klar, wo der Hase im Pfeffer liegt. Der Mann an der Kasse hat einen Akzent, er wurde wahrscheinlich in Indien oder Pakistan geboren. Und der Verkäufer hat einen noch stärkeren Akzent, wahrscheinlich chinesisch, koreanisch oder taiwanesisch, welcher Europäer kann das schon sagen. Kurz: Der eine liest undeutlich, und der andere versteht ihn nicht. Trotzdem setzen sie das Ritual fort. Vier weitere Versuche gehen über die Bühne.

Dann ist den meisten Umstehenden klar, welches Detail zum Missverständnis führt. Der Verkäufer sagt »eight« (acht), ohne das T am Schluss auszusprechen, und der Kassierer tippt jeweils den Buchstaben A ein. Aber niemand interveniert. Ich sehe mich erstaunt um. Alle Wartenden beobachten den Austausch, ohne die beiden Akteure zu korrigieren. Niemand beklagt sich, niemand räuspert sich ostentativ, niemand schüttelt den Kopf. Selbst Wayne neben mir wartet geduldig und lächelt mich nur an.

Schließlich lässt sich der Kassierer die Artikelnummer vom Verkäufer auf einen Zettel schreiben. Und null Komma plötzlich ist der Fernseher registriert.

Kaum sind wir durch die Ladentür, mache ich meiner Verblüffung Luft. »Das glaub ich ja nicht, dass sich dort drinnen niemand laut geärgert hat. Das hätte ja endlos weitergehen können!«

»Was hast du denn erwartet?«, sagt Wayne lakonisch und schiebt den Einkaufswagen mit dem neuen Fernseher, den ich gerade bezahlt habe, aufs Auto zu. »Man kann doch nicht einen Einwanderer dafür kritisieren, dass er die englische Sprache nicht beherrscht.«

»In Deutschland –«

»Meine Süße, du bist in Kanada. Hätte jemand etwas gesagt, dann hätte man die armen Männer vor allen blamiert oder – noch schlimmer – diskriminiert.«

Die Toleranz der Kanadier ist etwas, das nicht einfach zu lernen ist. Ich wenigstens bin beim ersten Test gleich durchgefallen. Es ist passiert, als ich ein

Handy erstand und gleich im Laden das Konto bei der Mobiltelefongesellschaft einrichten soll – übers Telefon natürlich.

Eine weibliche Stimme meldet sich. »Ich gebe Ihnen jetzt die Anleitung durch«, höre ich am anderen Ende. Das bleibt der einzige Satz, den ich von der ganzen Konversation in seiner Vollständigkeit verstehe. Die Person, die mich anleiten soll, spricht ein derart exotisch eingefärbtes Kanadisch, dass ich keine Ahnung habe, was ich tun soll.

»Könnten Sie es noch mal langsam wiederholen?«, sage ich immer wieder, jedes Mal etwas verzweifelter. Es bringt nichts, ich verstehe nur Bahnhof.

Irgendwann habe ich das Gefühl, ich müsste mich erklären, und sage so ruhig wie möglich: »Verzeihen Sie, aber ich komme aus Deutschland, und Kanadisch ist für mich eine Fremdsprache und für Sie offenbar auch. Deshalb ist die Kommunikation für uns beide sehr schwierig. Kann mich vielleicht jemand anders anleiten?«

Kaum habe ich den Satz ausgesprochen, spüre ich die Augen aller Verkäufer und Kunden im Laden auf mir. Habe ich etwas Falsches gesagt? Die Frau, die mich bedient, reagiert schnell. Sie nimmt mir das Gerät aus der Hand und unterbricht die Verbindung. Dann lächelt sie mich an. »Wir versuchen es einfach noch mal, bis wir eine bessere Verbindung haben«, sagt sie.

Eine bessere Verbindung? Darum geht es doch nicht. Das weiß die Verkäuferin sicher auch. Sie wählt erneut, sagt etwas in den Hörer und reicht mir dann das Gerät. »Jetzt sollte es gehen.«

Diesmal spricht die Dame der Mobiltelefongesellschaft ein lupenreines Englisch. In wenigen Minuten ist mein Konto eingerichtet und das Handy einsatzbereit.

Als ich Wayne später von dem Vorfall erzähle, hat er einen Ratschlag für mich: »Erwähne nie die Herkunft oder die fremde Sprache, wenn etwas nicht klappt. Erfinde einfach einen anderen Grund, dann solltest du über die Runden kommen.«

Dann fällt ihm noch etwas ein. »Sag einem Kanadier nie geradeheraus Nein. Sag einfach: Lassen Sie mich darüber nachdenken. Und dann vergisst du die Sache einfach. Wir machen das alle so.«

Mit Waynes Ratschlägen im Kopf treffe ich in Vancouver einen Mann chinesischer Abstammung, um ein Interview mit ihm zu führen. Absichern ist besser als reinfallen, denke ich mir.

»Entschuldigen Sie«, leite ich unser Gespräch ein, »ich bin gerade erst aus Deutschland angekommen und kenne mich nicht mit allen Gepflogenheiten aus. Es ist gut möglich, dass mir ein Fauxpas unterläuft, aber es ist reine Unwissenheit und keine Absicht.«

Der Geschäftsmann lächelt freundlich, und unser Gespräch läuft gut. Zum Schluss nennt er mir noch seine Handynummer, und ich schreibe sie vorne auf die Visitenkarte, die er mir zuvor überreicht hat.

Aber mein Triumph über die gelungene interkulturelle Verständigung währt nicht lange. Fiona zerstört meine Illusionen. Fiona ist aus Hongkong eingewandert und meine Steuerberaterin. Ich zeige ihr die Visitenkarte des Geschäftsmannes, damit sie mir sagen kann, wie man den Namen richtig ausspricht.

»Was ist denn das?«, fragt sie und hält die Karte hoch. »Haben Sie das darauf geschrieben?« Sie zeigt auf die Handynummer.

»Ja, warum?«

»In seiner Gegenwart?«

»Ja, natürlich.«

»O-o-ooooh«, sagt Fiona und vergrößert meine Verwirrung dadurch noch.

Sie gibt mir die Karte zurück. »Für Chinesen ist es absolut tabu, etwas auf Visitenkarten zu schreiben. Visitenkarten sind für sie wie das Gesicht eines Menschen. Man beschmiert das Gesicht eines Menschen nicht.«

Ich bin enttäuscht. »Das konnte ich nun wirklich nicht wissen«, sage ich.

»Nein, aber wenn Sie viel mit chinesischen Kanadiern zu tun haben, dann würde ich Ihnen einen Einführungskurs in chinesische Sitten und Manieren empfehlen.«

»Habe ich bei Ihnen auch Tabus verletzt?«, frage ich vorsichtshalber.

Fiona lacht. »Nein, nein, ich bin eine richtige Kanadierin geworden! Nicht mal mehr mein Name ist chinesisch, wie Sie ja wissen. Wahrscheinlich bin ich überangepasst. Ich habe sogar ein Kanu.«

In meiner neuen Wohnung, deren rosa Spannteppich ich unter bunten Läufern verstecke, gehe ich im Kreis.

»Ich kann doch nicht einen Kurs für chinesische Sitten und Manieren belegen«, klage ich Wayne. »Dann müsste ich auch die kulturellen Eigenheiten von mindestens einem Dutzend weiterer Länder studieren.«

Wayne lässt die Zeitschrift für Sportfischer sinken, die er gerade liest. »Und du hast mich gestern für meine Bemerkung gerügt«, sagt er süffisant.

Diese Retourkutsche musste ja kommen. Stimmt, ich habe ihn gestern wegen einer flapsigen Bemerkung kritisiert. Wir sind am Nachmittag auf der Robson Street Richtung Stadtzentrum spaziert. Ich erzählte ihm, dass ein Teil der Robson Street früher fest in der Hand deutscher Immigranten war, zeitweilig ließen die Stadtbehörden sogar ein Schild mit dem deutschen Ausdruck »Robsonstrasse« aufstellen.

»Ja, und was siehst du heute? Lauter Asiaten«, hat Wayne erwidert. »Kein Wunder, dass Vancouver von manchen Leuten Hongcouver genannt wird.«

Worauf ich ihn belehrt habe, dass der Ausdruck Hongcouver wirklich ein bisschen abgelutscht sei und vornehmlich nur noch von Zuzüglern wie ihm gebraucht werde. Ich konnte es mir auch nicht verkneifen, ihn weiter zu belehren, dass die Asiaten in Kanada zwischenzeitlich die Europäer als größte Einwanderergruppe abgelöst haben. Und um ihn zu beeindrucken, habe ich sogar die Statistik zitiert: »Es sind heute fast 60 Prozent, während die Europäer nur noch 16 Prozent der Einwanderer ausmachen. Im Jahr 1971 sind es noch 62 Prozent Europäer gewesen.«

»So viele Asiaten um mich herum«, brummte Wayne völlig unbeeindruckt, »bin ich eigentlich noch in Kanada?«

Das fand ich nun zu viel des Guten. »Du stammst halt aus einer ländlichen Gegend«, sagte ich, »und auf dem Land sind auch in Kanada immer noch fast alle Gesichter weiß. Ihr bekommt dort oben im abgeschiedenen Norden gar nicht mit, wie sich dieses Land verändert hat.«

»Aha, du Neunmalkluge, aber glücklicherweise gibt es ja deutsche Auslandskorrespondentinnen, die mir diese Weisheiten mit Löffeln in den Rachen stopfen.«

Wayne kann manchmal in seiner Wortwahl ziemlich drastisch sein. Was mich zu einer weiteren Belehrung provozierte: »Ob's dir passt oder nicht: Früher war Smith der häufigste Name im Telefonbuch von Vancouver. Und weißt du, welcher Name es heute ist?«

Keine Antwort.

»Der chinesische Name Lee. Denn gerade habe ich gelesen, dass zwei von fünf Vancouveriten Chinesisch als Muttersprache sprechen.«

Wayne schnaubte. »Lee ist für mich immer noch ein guter kanadischer Vorname, meine Liebe. Und was kümmert mich all der Multikulti in Vancouver. Ich bin ein Mann des Nordens.«

»Und was ist ein Mann des Nordens, bitte schön?«

»Das ist einer, der nicht mit Picknicks an den Sandstränden dieser Stadt zufrieden ist, wo man zudem«, Wayne blieb mitten auf dem Gehsteig stehen, »wo man zudem nicht mal ein Bier trinken darf.«

»Mein lieber Wayne, nirgendwo in Kanada darf man an öffentlichen Orten Alkohol trinken.«

»In der Wildnis schon. Und da gehen wir am nächsten Wochenende hin zum Zelten.«

So breche ich also mit dem Mann des Nordens an einem sonnigen Tag auf, aber wir kommen nicht weit. Auf der Autobahn Richtung Whistler stoppt uns die Polizei. Wie sich herausstellt, hat Wayne die Versicherung nicht rechtzeitig erneuert. Unser Auto wird abgeschleppt, aber zum Glück werden wir vom Abschleppwagen nach Vancouver mitgenommen.

Drei Wochen später stellen wir unser Zelt an einem idyllischen Bergsee an der Sunshine Coast auf, einem Küstenstrich nördlich von Vancouver. Hohe Tannen spiegeln sich im Wasser, Vögel zwitschern im Gebüsch, und Sonnenstrahlen wärmen die Steine, auf denen wir uns fläzen. Ach, es gibt doch nichts Besseres als weg von der Stadt, rein in die Natur!

Wie naiv wir sind.

Heulende Motoren schrecken uns auf. Ich traue meinen Augen nicht. Auf dem idyllischen Bergsee rasen zwei Jetskis um die Wette. Sea-Doos werden sie in Kanada genannt, die Lieblingsspielzeuge von tempoverrückten jungen Leuten.

Ich bin entsetzt. »Ist das hier oben in der Wildnis denn erlaubt? Gibt es da keine Lärmvorschriften?«

Mein letzter Satz geht in lauter Hip-Hop-Musik unter. Wayne, wie immer ein Mann der Tat, fängt bereits an, unsere Sachen zu packen.

»Lärmvorschriften? Wir brauchen doch keine Lärmvorschriften. Unser Land ist so groß, dass man vor dem Lärm weglaufen kann. Im Norden von British Columbia gibt es Orte, da hat noch nie ein Mensch seinen Fuß hingesetzt.«

Er klappt die Zeltstangen zusammen.

»Das ist erst der Anfang«, sagt er. »Jetzt haben sie mit dem Trinken begonnen, und dann geht es die ganze Nacht so weiter. Elende Festbrüder.« Wir falten das Zelt zusammen.

»Wir finden etwas Besseres«, sage ich, um mir Mut zu machen.

In der Tat. Eine Stunde später lassen wir uns an einem anderen See nieder, nicht weit von einem Schild entfernt, das das Zelten verbietet.

»Kümmere dich nicht drum«, sagt Wayne, »das kontrolliert niemand.«

Ich wage ihn nicht daran zu erinnern, dass er dasselbe behauptete, als er in der Nähe von Squamish illegal eine Forelle aus einem Bach holte. Gerade als er sie in sein Auto verfrachten wollte, fing ihn ein Fischereibeamter ab und verdonnerte ihn zu einer Strafe von zweihundert Dollar. Hinterher wetterte Wayne:

»Das soll das Land der Freiheit sein, aber es ist ein Dschungel voller Gesetze und Vorschriften und Einschränkungen. Früher war das ganz anders. Schreib das mal in deinen Zeitungen.«

In diesem Moment aber, an dem stillen See mitten im Wald, fühle ich Freiheit. Wir braten Fische, liegen in der Sonne, baden die Füße, und Wayne trinkt sein Molson-Canadian-Bier.

Kein Mensch weit und breit.

Plötzlich kommen mir die wilden Tiere in den Sinn.

»Wie steht es hier mit Bären?«

»Die sind bestimmt nicht weit. Die mögen nämlich auch gebratenen Fisch!« Wayne grinst.

Ach du lieber Himmel! Wir locken sie mit unserem Essen an!

»Keine Bange«, sagt Wayne, »wir stellen das Zelt am anderen Ende des Sees auf und hängen unseren Proviant an einen hohen Baum. Und wir ziehen andere Kleider an.« Er legt beruhigend den Arm um meine Schultern. »Außerdem hast du ja dein Bärenspray bei dir.«

Damit neckt er mich immer wieder. In der Anleitung dazu steht nämlich, dass der Bär nur etwa viereinhalb Meter entfernt sein sollte, damit er wirksam besprüht werden kann. Bei dieser Nähe bin ich aber sicher bereits vor Angst ohnmächtig geworden.

So ganz wohl ist es mir während der ganzen Nacht nicht. Nur eine dünne Stoffschicht trennt uns von der Natur. Ich lausche auf jedes Geräusch und zucke immer wieder zusammen. Erst nach Mitternacht übermannt mich der Schlaf.

Plötzlich weckt mich etwas auf. Meine Hände fühlen Nässe. Wasser! Der ganze Zeltboden steht unter

Wasser. Ich schüttle Wayne, der ziemlich schnell den Ernst der Lage begreift.

Ein Blick aus dem Zelt, und er weiß, wer uns zu ersäufen droht.

»Biber!«, ruft der Mann des Nordens. »Ich kann den Damm von hier aus sehen. Heilige Scheiße!«

»Wo? Ich habe noch nie einen lebenden Biber in freier Wildbahn gesehen«, rufe ich, »nur im Tierpark.«

Wayne kann meine Aufregung nicht verstehen. »Was ist so großartig daran? Die gibt es doch hier wie Ungeziefer.« Er betrachtet mit ernster Miene seinen nassen Schlafsack. Wir packen eilig zusammen.

»Ungeziefer? Der Biber ist doch das Nationaltier Kanadas. Dank der Biber –«

»Ich weiß genau, was du mir jetzt sagen willst. Dass dank der Biberpelze Kanada überhaupt besiedelt wurde, nicht wahr?«

Genau das wollte ich sagen. Wären die Biberpelze nicht so viel Geld wert gewesen, hätten sich mutige Männer und Frauen nicht in die undurchdringlichen Weiten Kanadas gewagt, um mit den Eingeborenen Handel zu treiben. Und ich hätte auch noch erwähnt, dass der Biber auf der ersten kanadischen Briefmarke abgebildet war und heute noch die Fünf-Cent-Münzen ziert. Aber Wayne teilt meine Begeisterung nicht.

»Wenn du mich fragst«, sagt er, »dann finde ich den amerikanischen Adler beeindruckender. Den Adler, wohlgemerkt, nicht die Amerikaner.«

Ich weiß, dass viele Kanadier nicht verstehen, warum der Biber ihr Nationaltier ist. Sie finden ihn irgendwie ordinär. Einen Grizzly oder Eisbär oder Buckelwal fänden sie viel imposanter. Früher haben die Trapper den Biber fast ausgerottet, wie ich gelesen habe. Das war zu den Zeiten, als jährlich rund zwei-hunderttausend Pelze nach Europa verkauft wurden. Aber heute bekommt man nicht mehr viel für einen Biberpelz, und die Biber sind so zahlreich, dass man sie in vielen kanadischen Provinzen mit Fallen de-zimieren will. Manche Gemeinden setzen sogar eine Kopfprämie auf Biber aus. Oder sie sprengen die Biberdämme in die Luft. Eine nicht sehr würdevolle Behandlung des nationalen Symbols, finde ich.

Das lasse ich auch Wayne wissen. Aber der winkt nur ab.

»Irgendwie muss man diese Plage doch in den Griff bekommen, findest du nicht?«

»Was heißt schon Plage«, sage ich. »Wenn es darum geht, euch mit Rekorden zu brüsten, dann sind die Biber wieder gut genug.«

Wayne schiebt den Grill in den Kofferraum seines Autos. »Womit brüsten wir uns denn?«

»Dass es in Kanada den größten Biberdamm der Welt gibt, im Norden von Alberta, 850 Meter lang. So groß, dass man ihn selbst vom Weltraum aus sieht. Vierzig Jahre lang haben Biber daran gebaut, hab ich gelesen. Das ist doch eine Leistung, die man bewun-dern muss.«

Wayne sieht mir zu, wie ich die nassen Schlafsäcke über die hintere Sitzreihe ausbreite. Er scheint nach-zudenken. Und dann überrascht er mich tatsächlich mit einer unerwarteten Einsicht.

»Wahrscheinlich mögen wir Kanadier die Biber nicht, weil sie so viel besser sind als wir.«

Ich halte inne. »Nämlich?«

»Nämlich fleißiger, effizienter, ausdauernder, sie lie-ben ihren Job – und vor allem sind sie fruchtbarer.«

»Was meinst du damit?«

»Ja, sieh dir doch mal die niedrige Geburtenrate in Kanada an. Wir vermehren uns praktisch nicht mehr. Wenn wir keine Einwanderer hätten, wären wir wahrscheinlich in hundert Jahren ausgestorben.«

Er lächelt mich vielsagend an. »Warum packst du nicht noch mal die Schlafsäcke aus? Spielen wir doch ein bisschen Biber.«

Ziemlich spät am nächsten Abend kommen wir in Vancouver an. Als wir die Wohnung betreten, stellen wir fest, dass Überflutungen nicht nur von Bibern verursacht werden. Von der Decke des Badezimmers tropft es wer weiß wie lange schon auf den Boden, und das Wasser bedroht schon das Schlafzimmer. Wir stellen einen Eimer unter das Rinnsal und alarmieren die Hausverwaltung. Die schickt am nächsten Morgen einen Klempner, der die Decke des Badezimmers öffnet und das Leck in der Leitung findet.

»Diese alten Röhren sind überfällig«, sagt er. »Es ist nur eine Frage der Zeit, bis wieder irgendwo Wasser austritt. Eigentlich müssten alle Leitungen ausgewechselt werden, aber das würde bedeuten, dass die Wohnungen für einige Zeit nicht vermietet werden können, und das will die Hausverwaltung nicht.«

Der Klempner sieht mein besorgtes Gesicht und tröstet mich: »Ach, da sind Sie nicht allein, diese Stadt ist voller sanierungsbedürftiger Wasserleitungen.« Während er das Loch in der Röhre stopft, klingelt das Telefon.

»Na, wie war das Wochenende?«, fragt Tina.

»Wir haben den Klempner im Bad«, sage ich als Erstes. »Wasser ist durch die Decke getropft.«

»Und der Klempner ist schon da? Da habt ihr aber Glück gehabt! Wir haben kürzlich zehn Tage auf einen Klempner gewartet. Es gibt einfach viel zu wenige Handwerker in Kanada, wusstest du das?«

Ja, ich hatte schon davon gehört, aber ich lasse sie trotzdem reden. Es kann ja immer sein, dass ich etwas Neues erfahre. Tina erzählt mir, dass die meisten kanadischen Eltern ihre Kinder auf die Universität schicken, weil sie Handwerksberufe als minderwertig ansehen.

»Die wollen Ärzte und Anwälte heranzüchten. Die halten Schreiner für dumm. Dieser Beruf wird verachtet, weil wir in Kanada in der Pionierzeit mit den Händen gearbeitet haben. Das wollen sie endgültig hinter sich lassen«, erklärt sie. »Und die jungen Leute, die sind sich für das Handwerk zu schade. Aber dann kommen sie von der Universität, sind über beide Ohren mit Studentendarlehen verschuldet und finden keinen Job. Und wir müssen die Handwerker aus anderen Ländern holen, aus Deutschland zum Beispiel.«

Ich laufe mit dem Telefonhörer ins Bad.

»Woher kommen Sie?«, frage ich meinen Klempner, der mit einem osteuropäischen Akzent spricht.

»Kroatien«, sagt er. »Ich verlege am Abend auch Böden. Wollen Sie einen neuen Boden?«

»Wie wär's mit einem Rasen?«, sage ich. »Dann macht es weniger aus, wenn immer mal wieder Wasser von oben heruntertropft.«

7

With a little help from my friends

Meine kanadischen Freundinnen sehen mich mit fast mitleidigen Blicken an. Sie reden alle durcheinander.

»Was kann die Deutschen nur an der kanadischen Politik interessieren? Es passiert ja nichts in unserem Land!«

»Ja, und die kanadischen Politiker erst, die sind ja so was von langweilig!«

»Wenn sich die Kanadier schon nicht für ihre Politik interessieren, warum sollten es dann die Deutschen?«

»Nehmen wir zum Beispiel Stephen Harper. Glaubt ihr nicht auch, dass keine andere Nation einen so nichtssagenden Premierminister hat?«

»Ihr Deutsche habt wenigstens eine Frau als Regierungschefin. Bei uns sind die wichtigsten Ministerposten mit lauter Männern besetzt.«

»Testosteron, so weit man riecht!«

Wir sitzen zu acht in einem indischen Restaurant, umnebelt von exotischen Aromen, von Wein innerlich gewärmt, und diskutieren über mein Leben als Auslandskorrespondentin. Durch Tina habe ich Shirley, Kate, Mimi, Sheila, Fiona und Blanche kennengelernt. Wir nennen uns »die Alphabettes«, weil wir alle drei Wochen in einem Restaurant essen und dabei dem Alphabet folgen. Das war Kates Idee. Sie ist Mitglied des exklusiven Vancouver Clubs. Dieser Club sei 1889 gegründet worden, erklärte sie mir, und war früher nur Männern vorbehalten.

»Ein typischer Old-Boys-Club wie in England. Frauen konnten nicht Mitglieder werden und mussten beim Betreten einen kleinen Seiteneingang benützen.«

Seit 1994 sind aber auch weibliche Mitglieder offiziell zugelassen. Vor allem Geschäftsfrauen der Business-Elite treffen sich im historischen Club-Gebäude an der West Hastings Street.

Kate besitzt eine der schönsten Kunstgalerien in Vancouver. Sie hat jedoch auch eine ungezähmte, rebellische Seite, die sie ausleben will.

»Ihr könnt doch meinetwegen nicht jedes Jahr einige tausend Dollar an Mitgliedergebühren bezahlen«, sagte sie. »Wir sollten uns auf lockere Art treffen und ein bisschen wild sein dürfen.«

Ich muss Kate, die Tochter aus einer etablierten Familie aus Vancouver, verdattert angesehen haben, denn sie fügte hinzu: »Weißt du, wir Kanadier lieben zwar das Steife und Förmliche der Briten, weil uns viele eigene Traditionen fehlen. Aber dann haben wir plötzlich genug davon, und unsere ausgelassene Seite bricht durch. Schließlich sind wir die Nachfahren von freien Pionieren.«

So sind die Alphabettes entstanden.

Heute sind wir beim B des zweiten Durchlaufes angelangt und tafeln im Bombay House.

»Ich möchte echte Kanadierinnen treffen«, hatte ich Tina gebeten, »nicht nur andere Deutsche in Vancouver.«

Rasch erfahre ich, dass außer Kate keine der Frauen am Tisch in Vancouver geboren ist. Shirley stammt aus England, Tina aus der kanadischen Provinz Saskatchewan, Mimi hat früher in den USA gelebt, Sheila ist Indo-Kanadierin, Fionas Eltern leben noch in Hongkong, und Blanche ist mit ihrer Familie aus dem Kongo nach Kanada geflohen. In dieser Zusammensetzung fällt mein deutscher Akzent überhaupt nicht auf.

In Kanada sind außer den Ureinwohnern sowieso alle Einwanderer. Einige von ihnen bringen es rasant schnell zu etwas in ihrer neuen Heimat. So wie ein dunkelhäutiger Flüchtling aus Haiti namens Michaëlle Jean. Sie wurde zuerst eine bekannte Fernsehjournalistin und dann Generalgouverneurin, also die Stellvertreterin der britischen Königin in Kanada.

Ich komme auf die Männerfrage zurück.

»Michaëlle Jean ist, soweit ich das beurteilen kann, kein Mann«, werfe ich in die Runde. »Sie ist eine sehr intelligente, attraktive und interessante Frau, wenn ihr mir die Bemerkung erlaubt.«

»Ja, aber sie durfte gerade mal die Queen repräsentieren und besaß keine wirkliche Macht«, sagt Mimi.

Ich ziehe die Augenbrauen hoch. »Aber ihr habt doch noch vor uns Deutschen eine Premierministerin gehabt, Kim Campbell. Das war 1993, oder irre ich mich?«

»Uuuuuuuhhh.« Ein Stöhnen geht durch die Runde. »Die hat gerade mal 132 Tage im Amt durchgehalten, bevor sie abgewählt wurde, das ist wirklich kein Ruhmesblatt. Damals war sie 46 Jahre alt.« Das sagt Tina, die Bibliothekarin mit dem Gedächtnis eines Computers.

»Aber selbst Kim Campbell ist ein Thriller im Vergleich zu der Schlaftablette Stephen Harper«, ruft Sheila. »Sie hat einen zwanzig Jahre jüngeren Kanadier geheiratet, einen Pianisten, und mit ihm eine Oper inszeniert.«

»Harper dagegen«, ruft Tina, »hat nur ein Buch über Eishockey geschrieben –«

»Nein, er soll erst noch am Schreiben sein, erschienen ist es noch nicht«, wirft Kate ein.

»Auf alle Fälle finde ich Harper so was von hölzern und verkrampft«, kontert Tina, »und wenn der lächelt, meint man, er müsse sich sagen: ›Steve, jetzt lächle mal!‹ Und er verzieht seinen Mund wie ein Gummiband.«

»Also bitte«, sage ich, »man muss den Mann ja nicht mögen, aber ich kann dir versichern, ein deutscher Bundeskanzler hat noch nie den Beatles-Song ›With a little help from my friends‹ auf einer Konzertbühne gesungen und sich dabei am Klavier begleitet.«

»Ach, das war während einer Künstlergala und bestimmt ein Werbetrick seiner PR-Strategen«, ruft Fiona.

Ich lasse mich nicht beirren. »Er hat auch ein Konzert der Rockband Nickelback besucht und den Sänger in seine Residenz in Ottawa eingeladen. Und seine Frau hat ihm zum fünfzigsten Geburtstag eine Tour durch die ehemaligen Beatles-Studios an der Abbey Road in London geschenkt. Und mit Bryan Adams hat er auch mal zusammengespielt.«

»Uuuuuuhhhh, Bryan Adams«, stöhnt die Runde wieder. »So was nennt sich Rocksänger, und dann wird er Hobby-Fotograf und lichtet die Queen ab«, ruft Blanche. »Das ist offenbar das höchste aller Gefühle für einen prominenten Kanadier, die Queen vor der Linse zu haben.«

»Für Pierre Trudeau wäre es sicher nicht das höchste der Gefühle gewesen«, sagt Tina, mit Seitenblick auf mich. Sie weiß um meine Schwäche für den früheren Premierminister. Er ist in Kanada ein ewiges Gesprächsthema, obwohl er schon seit einigen Jahren tot ist. »Der war immer dafür, dass sich Kanada aus der britischen Umarmung löst. Es ist doch vollkommen überholt, dass die Königin unser offizielles Staatsoberhaupt ist.« Tina sieht mich an. »Dir als Deutscher muss das ziemlich seltsam vorkommen, stimmt's?«

Pierre Elliott Trudeau. Mein Lieblingsthema. In einer Zeitschrift hatte ich vor Jahren ein Bild von ihm und seiner achtundzwanzig Jahre jüngeren Ehefrau Margaret Sinclair auf der Hochzeitsreise gesehen – er war angezogen wie ein Pirat, sie wie ein Hippie-Mädchen. Das war Anfang der siebziger Jahre. Drei Kinder später trennten sich die beiden, aber meine Faszination ist ungebrochen.

»Trudeau war sicher nicht langweilig«, sage ich und komme wieder auf die angeblich langweiligen Politiker zurück, »sonst hätte es in Kanada keine *Trudeaumania* gegeben. Er muss sehr charismatisch gewesen sein. Manche haben ihn ja verehrt wie einen Popstar.«

Jetzt reden wieder alle durcheinander.

»Der war sogar mit Barbra Streisand liiert –«

»Was, mit der Sängerin? War sie nicht auch Schauspielerin?«

»Ja, ich erinnere mich an ein Foto der beiden. Barbra Streisand hatte ein ziemlich gewagtes Dekolleté.«

Shirley wirft die Hände in die Luft. »Trudeau hätte sie um ein Haar geheiratet! Dann hätten wir einen amerikanischen Hollywood-Star als First Lady gehabt, stellt euch vor! Und das in Kanada!«

Tina wiegt den Kopf hin und her. »Sein Sohn Justin sieht auch gut aus, findet ihr nicht? Er ist ja jetzt erst Abgeordneter, aber ich wette, der wird eines Tages unser Premierminister.«

»Nicht schon wieder ein Trudeau«, jammert Kate theatralisch. »Wir brauchen keine Dynastien wie die Bushs und die Kennedys.«

»Belinda Stronachs Auftritt in der Politik war auch nicht schlecht«, meldet sich jetzt Mimi zu Wort. »So viel Glamour hatten wir schon lange nicht mehr. Das muss die Deutschen doch interessiert haben. Hat Belinda nicht einen Vater, der aus Deutschland stammt? Hast du darüber berichtet?«

Ich stelle mein Weinglas hin. »Nein, Frank Stronach stammt aus Österreich und hieß einmal Franz Strohsack. Aber du hast recht, ich habe natürlich über Belinda geschrieben.«

Über eine solche Geschichte freut sich jede Auslandskorrespondentin. Geld. Sex. Intrige. Drama. Verschmähte Liebe.

Die attraktive Tochter eines milliardenschweren Industriemagnaten gibt ihre hohe Position im väterlichen Imperium auf, um Vorsitzende einer neu-vereinten Konservativen Partei in Kanada zu werden. Das gelingt ihr zwar nicht – der heutige Premierminister Stephen Harper wird Vorsitzender –, aber sie zieht als Abgeordnete ins nationale Parlament ein. Mit ihrem Geld finanziert sie rauschende Partys und glänzende gesellschaftliche Anlässe. Sie verbandelt sich mit Peter MacKay, dem Vizevorsitzenden der Konservativen Partei, einem begehrten Junggesellen, der vom Parlamentspersonal in Ottawa regelmäßig zum Abgeordneten mit dem größten Sexappeal erkoren wird.

Aber der blonden Schönheit geht es nicht schnell genug aufwärts (und ihrem Papa wahrscheinlich erst recht nicht), denn nicht die Konservativen sind damals an der Macht, sondern die Liberalen.

Die Gunst der Stunde naht, als die Minderheitsregierung der Liberalen Partei während eines Misstrauensvotums im Parlament wegen einer einzigen Stimme abgesetzt zu werden droht. Belinda Stronach wechselt buchstäblich über Nacht die Fronten und wird Mitglied der Liberalen Partei – deren Premierminister sie aus Dank postwendend zur Ministerin ernennt. Ihrem Liebsten Peter MacKay hat Belinda ihren Entschluss nur wenige Stunden zuvor mitgeteilt. Vergeblich versucht er sie in einer schlaflosen Nacht umzustimmen.

Aus mit der Liebe, aus mit der Beziehung. Der verschmähte Liebhaber lässt sich von Fernsehkameras traurig und abgekämpft auf dem Kartoffelacker seines Familienbesitzes in Nova Scotia filmen, samt seinem treuen Hund, der ihn nicht im Stich ließ wie die Milliardärstochter.

Doch diese hat, wie sich bald zeigt, aufs falsche Pferd gesetzt. Die liberale Minderheitsregierung verliert ein halbes Jahr später ihre Macht an die Konservativen. Belinda steht plötzlich ohne ihren Ministerposten da. Als Abgeordnete zeigt sie sich noch ab und zu im Parlament und färbt ihr blondes Haar schwarz. Sie wird mit einem bekannten verheirateten Eishockey-Spieler der Toronto Maple Leafs gesehen und als Scheidungsgrund genannt. Die Bevölkerung erfährt es aus den Medien.

Bald danach zieht sich eine wieder erblondete Belinda Stronach aus der Politik zurück und erhält im väterlichen Konzern erneut eine hohe Position. Peter

MacKay wird erst Außenminister und dann Verteidigungsminister und ist kurzzeitig mit einer anderen reichen Erbin verbandelt.

»Wenn das langweilig sein soll, dann lebt ihr im falschen Land«, sage ich.

»Mhm«, sagt Fiona und schlürft leise ihren Chai Latte, »Maxime Bernier ist auch nicht schlecht.«

»Maxime Bernier, oh, oh, oh!«, kommt das Echo von den Alphabettes.

Eine weitere köstliche Geschichte: Gutaussehender junger Außenminister kommt zu seiner Vereidigungszeremonie in Ottawa mit einer unbekannten Schönen in einem dünnen Kleidchen, dessen Ausschnitt keine Fragen, aber sonst viel offen lässt. Die Medien stürzen sich sofort auf die Unbekannte und beginnen zu recherchieren. Bald stellt sich heraus, dass die Schöne mit dem dunklen langen Haar und der umwerfenden Figur in der Vergangenheit Kontakte zum organisierten Verbrechen hatte. Der konservative Außenminister lässt sie wie eine heiße Kartoffel fallen. Die Dame rächt sich, indem sie bekanntmacht, besagter Verteidigungsminister habe geheime Regierungsdokumente bei ihr im Schlafzimmer liegenlassen. Das löst große Aufregung in den Medien aus. Der fesche Verteidigungsminister muss aber erst neun Monate später den Hut nehmen, angeblich *nicht* wegen seines problematischen Privatlebens. Und die Exfreundin veröffentlicht später ein Buch voller pikanter Details.

»Und was sagt ihr zu Iggys Abgang?«, fragt Shirley und rollt dazu die Augen. Iggy ist Michael Ignatieff, der ehemalige Vorsitzende der Liberalen Partei und glücklose Oppositionsführer.

»Ich verstehe euch Kanadierinnen nicht«, sage ich.

»Im Ausland ist Michael Ignatieff ein Star. Meine Redakteure fahren auf den berühmten Intellektuellen ab, er hat alles, um Interesse zu wecken: ehemaliger Harvard-Professor, Fernsehmoderator in England, russische Aristokraten als Vorfahren, sein Großvater ein Minister des letzten Zaren und so weiter.«

»Und blaue Augen, wolltest du das nicht auch noch erwähnen?« Mimi neigt manchmal zum Sarkasmus.

»Iggy musste verrückt gewesen sein! Warum nur wollte der Mann nach fast dreißig Jahren Ausland zurück nach Kanada und in die kanadische Politik einsteigen?«

»Und die ist ja so langweilig«, erklingt es im Chor. Die Alphabettes amüsieren sich gewaltig.

»Iggy kam bei den Kanadiern einfach nicht an«, sagt Fiona. »Er hatte keinen Draht zu ihnen.«

»Noch schlimmer, er kam bei den Frauen nicht an«, ergänzt Mimi. »Obwohl er doch das Sexsymbol der denkenden Frau sein sollte.«

»Falsch«, ruft Tina, die Bibliothekarin. »Ganz falsch. Das ist ein Mythos. Die *New York Times* schrieb irrtümlich, das kanadische Magazin *MacLean's* habe Ignatieff den *Intellektuellen mit dem größten Sexappeal* genannt. Das stimmt aber gar nicht. *MacLean's* nannte ihn nur ein Sexsymbol, und das auch nur im Untertitel. Aber seither wird das immer weiterverbreitet. Das gefiel Iggy bestimmt.«

Fiona schüttelt den Kopf. »Ich weiß nur, dass er laut einer Umfrage bei berufstätigen Frauen und Studentinnen an Sympathie verlor. Und wisst ihr was? Sie fanden ihn *unsexy*!«

Kate wird analytisch. Sie lässt sich auch nicht von der Bauchtänzerin ablenken, die nun im Hintergrund des Lokals ihre Hüften kreisen lässt. »Vielleicht mögen wir in Kanada keine Stars in der Politik, vielleicht ertragen wir nur den Durchschnitt und ... und nicht mitreißende Redner und schillernde Figuren. Vielleicht sind wir Kanadier so langweilig wie unsere Politiker.«

»Aber wir haben auch keine Sarah Palin«, ruft Sheila. »Wir mögen keine Populisten. Das ist doch tröstlich. Auch keine rechtsextremen Fanatiker. Durchschnitt ist gar nicht schlecht.«

»Trudeau war nicht durchschnittlich.« Ich kann mir diesen Einwand nicht verkneifen.

»Erstens ist Ignatieff kein Trudeau, und zweitens –«

»Zweitens fuhr Trudeau Sportwagen und trug Ledermäntel.« Das war wieder Sheila.

»Und er hatte den braunen Gürtel im Judo.«

Die Unterhaltung verlässt endgültig ernsthaftes Territorium. Die Runde beginnt zu blödeln.

»Iggy hatte keinen Humor.«

»Stephen Harper auch nicht.«

»Doch, erinnert euch nur an die Sendung mit Rick Mercer, dem Komiker«, sagt Blanche. »Harper hat Rick Mercer in seine Residenz am 24 Sussex Drive eingeladen und ihn auf der Couch schlafen lassen, und Harper sang ihm vor laufenden Kameras ein Gutenachtlied.«

»Nein, Blanche, wieder falsch, Harper las ihm eine Gutenachtgeschichte vor, was aber ein Auszug aus bürokratischem Kauderwelsch war, damit Rick Mercer schnell einschläft.«

Tina fixiert mich erneut mit ihrem prüfenden Blick. »Warum hast du dich eigentlich in Vancouver und nicht in Ottawa niedergelassen?«

Die Frage wird mir nicht zum ersten Mal gestellt.

»Es kommt eigentlich nicht drauf an, wo ich bin«, sage ich. »Wo immer ich mich in diesem riesigen Land niederlasse, bin ich am falschen Ort, weil ich stets ein Flugzeug nehmen muss, um irgendwohin zu gelangen. Ich kann auch nichts dafür, dass Kanada 5500 Kilometer breit ist.«

»Na, das ist aber eine merkwürdige Antwort«, wirft Fiona ein. »Ich weiß genau, warum du nicht in Ottawa bist. Ottawa ist eine total langweilige Stadt!«

Sie erhält dafür von den Alphabettes laute Zustimmung, und nichts drängt mich, gegen ihre These zu protestieren.

»Das finde ich nun wirklich sexy!« Shirleys Gesicht leuchtet.

»Was meinst du, Rick Mercer auf der Couch?«

»Nein, die Bauchtänzerin dahinten!«

Alle gucken hin und sind begeistert. So haben wir dank eines hübschen Bauches nach langer Diskussion doch noch einen kanadischen Konsens gefunden.

8

Zerstochen, zermürbt, zerronnen

Manchmal halte ich meinen Job für verrückt. Manchmal wünschte ich, ich könnte sagen, ich wäre lieber Personalberaterin oder Theologin geworden. Oder Diätköchin. Bibliothekarin wäre auch nicht schlecht. Alles andere, nur nicht eine rasende Reporterin.

Aber das stimmt nicht. Ich bin viel lieber eine rasende Reporterin. Mit rasend meine ich nicht nur das Tempo meiner Tätigkeit. Ich meine auch den Gemütszustand.

Jetzt zum Beispiel rase ich innerlich, weil ich an einem steilen Hang stehe, so steil, dass ich bei einem Fehltritt gleich in die Tiefe sausen würde. Es ist heiß, heiß, heiß, aber mein Wasserkanister liegt weit unten im Talgrund, am Rande der Forststraße, die von hier oben wie ein schmaler Pfad aussieht. Ich habe vor drei Stunden mit nur einem Liter Wasser den Anstieg in Angriff genommen, als noch Schatten auf dem Bergtal lagen. Je weniger Gewicht, umso leichter das Klettern, hatte ich mir gesagt.

Wenigstens muss ich nicht fünfundzwanzig Kilogramm schwere Säcke mit Tannensetzlingen um die Hüfte tragen wie die jungen Leute, die um mich herum wie Maultiere den Hang hochkraxeln. Sie forsten die abgeholzten Wälder in British Columbia auf. Rund 95 Prozent der Wälder gehören der Provinz, also dem Staat. Seit ich hierherkam, habe ich noch mehr erfahren: Die Forstkonzerne dürfen nicht mehr wie früher die Waldbestände kahlschlagen und die riesigen Flächen dann ihrem Schicksal überlassen. Seit 1987 zwingt sie die Regierung, die Gebiete auf eigene Rechnung wieder aufzuforsten. Diese Aufgabe übernimmt jeden Sommer eine Armee von jungen Leuten, die sich schinden und quälen, um die Setzlinge in den Boden zu stampfen.

Und für einige Tage schinde und quäle ich mich mit ihnen, um Material für eine gute Geschichte zu sammeln. Wie wünschte ich mir in diesem Moment, ich könnte auf Adlerschwingen talwärts fliegen und mir Wasser durch die Kehle rinnen lassen! Der Schweiß läuft mir in die Augen, und mit dem Schweiß das giftige Mückenschutzmittel. Es enthält eine Substanz namens Deet, die mir ähnlich ätzend erscheint wie verdünnte Salzsäure. Deet ist so aggressiv, dass es Kunststoff auflösen kann. Aber in Kanada schwören fast alle auf Deet. Außer vielleicht ein paar Umweltbewusste, die trotzdem manchmal abtrünnig werden, wenn Citronella-Kerzen oder Eukalyptusöl und andere sanftere Mittel vor dem Ansturm der Stechmücken kapitulieren. Ich bin froh, dass Deet auch vor Zeckenbissen schützt.

Zwar rieche ich wie eine Chemiefabrik, aber das ist im Moment meine kleinste Sorge. Kaum stehe ich still, werde ich von Mückenschwärmen attackiert. Bremsen, Moskitos und No-see-ums, so winzig, dass man sie nicht sieht, wenn sie die Haut aufreißen. Erst die Blutrinnsale sind ein untrügliches Zeichen ihrer Angriffe.

Ich kann jetzt unmöglich eine halbe Stunde auf dem Hintern in die Tiefe gleiten und mich dann wieder eine Stunde am Gestrüpp hochhangeln. Ich bin nämlich im Dienst. An diesem Hang gibt es noch andere Verrückte, und die bleiben nicht ständig stehen wie ich.

Baumpflanzer arbeiten im Akkord, und je mehr Baby-Tännchen sie in den Boden drücken, umso mehr Geld verdienen sie. An diesem glühenden Sommertag pflanzen die jungen Frauen und Männer Zehntausende von Setzlingen in Kanadas Wildnis.

»Bäume pflanzen ist die ultimative Erfahrung für junge Kanadier«, hatte ich dem Redakteur des *Öko-Magazins* gesagt, dem ich die Reportage verkaufen wollte. »Es ist wie eine Feuertaufe. Sie haben keine Ahnung, wie viele Unternehmensbosse und Politiker in Kanada in ihrer Biographie mit Stolz auf ihre harte Zeit als Baumpflanzer verweisen. Und die Frauen«, füge ich rasch hinzu, »sind oft die besseren Pflanzer, weil es auf die Schnelligkeit und Gewandtheit ankommt. Manche Muskelprotze machen schon nach wenigen Tagen schlapp, weil sie nicht die mentale Stärke für so eine physische Tortur besitzen.« Ich war in jenem Augenblick richtig stolz auf meine Wortgewalt.

Jetzt würde ich gerne selbst über Lastwagenladungen dieser mentalen Stärke verfügen. Stattdessen schleppe ich mich mühsam durch das Dickicht von Baumstrünken, stacheligen Pflanzen, gigantischen Wurzelstöcken und bösartigen Löchern dazwischen, die wie Fallgruben wirken.

Charlene dagegen, die sich vor mir einen Weg durch Gebüsch, Geröll und Dornen bahnt, ist eine Baumpflanzerin der obersten Härteklasse. Mit geübtem Schwung platziert sie die Setzlinge in der Bodenöffnung, die sie mit ihrem Spaten gegraben hat. Charlene schwitzt genau wie ich, ihr blondes Haar ist verklebt, aber in ihrem verdreckten ärmellosen T-Shirt und den Bluejeans sieht sie immer noch sexy aus. In meinen Augen ist sie der Prototyp einer starken, unerschrockenen, optimistischen Kanadierin, die auch ungeschminkt hübsch ist.

Ich wollte, ich sähe in diesem Moment aus wie eine optimistische, wildniserprobte, fotogene Auslandskorrespondentin. Aber da habe ich meine Zweifel. Mein Gesicht glänzt rot (ich ertrage Hitze schlecht, deshalb bin ich auch im kühlen Kanada, oder etwa nicht?), und wegen der Mücken bin ich verhüllt wie eine Tuareg. Darunter ist jeder Quadratzentimeter meiner Haut mit dem höchsten im Einzelhandel erhältlichen Sonnenschutzfaktor eingeschmiert.

Ich bleibe hartnäckig an Charlene dran. Sie rammt den Spaten in den Boden, gräbt ein Loch, holt den Setzling aus dem Sack an ihrer Hüfte, bückt sich, setzt die Pflanze, klopft die Erde fest. So geht das den ganzen Tag. Zehn Stunden lang. Schritt, Schritt. Stoßen. Greifen. Bücken. Klopfen. Schritt, Schritt.

Ich torkle hinterher, werfe ihr die Frage nach, warum sie so etwas auf sich nimmt.

»Das Geld«, sagt Charlene, ohne ihre Bewegung zu unterbrechen. »Ich will nach Australien reisen. Und das Gruppengefühl. Das sind alles Unangepasste hier. Find ich tierisch gut.«

In diesem Moment falle ich in ein Loch, mein Schreibblock fliegt weg. Wie soll das nur werden? Das ist erst mein zweiter Tag mit den Pflanzern. Noch habe ich keine entzündeten Schürfungen, keine roten Wunden, keine Blasen an Händen und Füßen wie sie. Nur schwarze Flecken.

»Ich bin blau und schwarz und rot und zerkratzt«, sagt Charlene. »Im Badeanzug zeige ich mich nur anderen Pflanzern.«

Die Leidensfähigkeit dieser jungen Kanadier scheint unbegrenzt. Vier Tage Akkord, ein Tag frei, vier Tage Akkord.

»Ach, das ist doch weniger schlimm als letzte Woche«, sagt Charlene. »Da hat es nur so gegossen. Ich bin wie durch Sumpf gewatet, ständig ausgerutscht. Und es war sooo schrecklich kalt. Meine Kleider total nass. Ich konnte meine Finger vor Kälte kaum bewegen.«

Ich schäme mich. Denn ich wünschte, es würde regnen. Jetzt gleich. Wie aus Kübeln gießen.

Weiter oben sehe ich einen Studenten namens Zag, der von Geburt an nur einen Arm hat. Trotzdem ist er schneller als die meisten. Und Claude aus Quebec, dessen Akzent ich fast nicht verstehe, obwohl ich gut Französisch spreche, arbeitet mit nacktem Oberkörper. Unglaublich, in dieser Sonne! Er sieht nicht aus, als ob Sonnenschutzfaktoren zu seinen mathematischen Kenntnissen gehörten.

»Man darf einfach nicht stehen bleiben, keine Pause einlegen, immer nur weitermachen, das ist das Geheimnis«, sagt er.

Geheimnis? Für mich ist das eine Strafe, kein Geheimnis. Charlene pflanzt an diesem Tag siebenhundert Tannen. Ich rechne: Das ist mehr als ein Baum pro Minute. In diesem mörderischen Gelände!

Jetzt begreife ich, warum die Pioniere früher dieses wilde, raue Land besiedeln konnten. Sie waren einfach hart im Nehmen. So hart wie diese Baumpflanzer.

Und gut im Essen sind sie auch. Abends schaufeln sie gigantische Portionen in sich hinein. Suppe, Braten, Broccoli, Bohnen, Peperoni, Backkartoffeln, Salate, Beerenstreuselkuchen, Vanilleeis.

Bruce, der Koch mit den tätowierten Armen, berechnet für jeden Baumpflanzer die dreifache Menge. »Das haut gerade so ungefähr hin«, sagt er und schlägt ein Ei ums andere auf.

Bruce, das merke ich schnell, ist Anlaufstelle für alle größeren und kleinen Probleme. Er rät mir, im Gebüsch aufs Klo zu gehen und nicht die Gemeinschaftstoilette zu benützen. »Ist hygienischer«, sagt er.

Zu Bruce gehen die jungen Männer, wenn sie sich die Geschlechtsteile an den schweren Hüftsäcken wund gescheuert haben. Er gibt ihnen feines Maismehl zum Kühlen.

»Hast du dir schon einen schönen Kanadier angelacht?«, fragt er mich.

Ich wehre verlegen ab. »Ich habe einen Boyfriend in Vancouver«, sage ich.

»Warum ist er nicht hier?«

»Er hat gerade eine Arbeit gefunden, und ich will nicht, dass er dort gleich wieder aufhört.«

»Manche hören hier auch schnell wieder auf, andere sind schon mehrere Jahre dabei«, sagt Bruce. »Es ist wie eine Sucht. Alles ist intensiver, das Schöne und das Schwere. Und die Emotionen auch, das sage ich dir. Da ist was los nachts in den Zelten!«

Ich zücke meinen Kugelschreiber. »Du meinst ...?«

»Ja, klar, Sex gehört dazu. Es ist wie ein Trost. Die sind wie die Karnickel!«

Er zwinkert mir zu und läuft zum Kühlschrank. Ich stürze mich auf den Nachtisch.

Noch fühle ich mich als Mensch. Ein schmutziger Mensch, zugegeben. Ich verzichte auf die nicht sehr einladende Dusche und beschränke mich auf Katzenwäsche im Zelt. Der Gang ins Gebüsch ist eine

Quälerei: Innerhalb einer Minute ist mein Gesäß zerstochen. Ich beschließe, vom *Öko-Magazin* eine Gefahrenzulage zu verlangen (was natürlich der reine Größenwahn ist).

Am nächsten Morgen um fünf dröhnt der Generator los. Waschen, frühstücken, Zähne putzen. Ein Pflanzer verbindet seine Fingerspitzen mit Isolierband. »Duct tape« nennt man das hier. Duct tape ist für die Kanadier ein Wundermittel für alle Lebenslagen. Auch für die Pflanzer. Jeder schützt sich, so gut er kann, vor Verletzungen. Um sechs sind alle bereit. Nur Setzlinge sind keine da. Ein Lastwagen sollte sie aus Vancouver bringen. Über zweihunderttausend Tännchen fehlen, das sind drei Tage Arbeit.

Stundenlanges Warten. Alle sind frustriert. Verlorene Zeit, verlorenes Geld. Aber niemand rastet aus. Das tut man in Kanada nicht.

Endlich, zwei Stunden später, kommt die Fracht an. Dann fahren wir mit dem Pick-up eine Stunde lang über eine Waldstraße. Schlagloch um Schlagloch. Jetzt geht es in die Höhe. Fliegender Wechsel. Ein Hubschrauber bringt uns an eine Bergflanke. Das Terrain ist noch schlimmer als am Vortag. Überall ragen abgebrochene Äste von liegenden Baumstämmen in die Luft. Ich will nicht gepfählt werden!, denke ich. Nach einer Stunde Marsch sind meine Wanderschuhe beidseitig aufgeschlitzt. Ich leihe mir von Claude Duct tape aus und verklebe die Risse.

Die Sonne brennt vom Himmel.

Ich stöhne.

»Na, wie geht's?« Guy, der Aufseher, ist neben mir aufgetaucht. Er scheint ständig überall zu sein.

»Ich werde selbst vom Nicht-Arbeiten müde«, sage ich.

Guy lacht. »Weißt du, dass ein Pflanzer im Schnitt täglich sechzehn Kilometer zurücklegt?«

»Was? Wie ist das möglich?«

»Ja, und ein Aufseher wie ich bringt es wahrscheinlich auf vierundzwanzig.«

Das hingegen kann ich mir vorstellen, wenn ich Guy beobachte. Er kontrolliert nämlich ständig, ob die Pflanzer die Tännchen im richtigen Abstand voneinander und tief genug in den Boden setzen. Wenn etwas nicht stimmt, wird der Setzling herausgerupft, und das Ganze muss wiederholt werden.

»Nehmt euch vor Bären in Acht«, ruft Guy den Pflanzern zu. »Warnt die anderen, wenn ihr einen seht!« Bären, auch das noch. Ich kann nicht auch noch an Bären denken, denn ich habe Mücken in Mund, Augen und Ohren.

Für ein paar Höhenmeter brauche ich eine Ewigkeit, weil ich jeden Schritt mit höchster Vorsicht setzen muss.

Während einer kurzen Rast zünden sich zwei Pflanzer heimlich ein Haschischpfeifchen an. Das ist zwar verboten, aber sie tun es hinter dem Rücken des Aufsehers.

Diesmal habe ich drei Liter Wasser mitgenommen. Am Abend ist kein Tropfen übrig.

Der Hubschrauber bringt uns ins Tal.

»Wir fahren zu einem See in der Nähe, kommst du mit?«, ruft Charlene nach dem Abendessen.

»Ich hab keinen Bikini dabei«, rufe ich zurück.

»Unterwäsche tut's auch.«

Wie wahr. Es wird das beste Bad meines Lebens. Hinterher Musik und Limonade mit Wodka.

Auf der Rückfahrt sagt Claude: »Du kannst deinen Kopf auf meine Schulter legen.«

Dann schläft er sofort ein. Ich notiere auf meinem Schreibblock: »Keine Karnickel. Eher kanadische Kuschelbären.«

* * *

Ron Vanderhoof jedoch gehört zu einer ganz anderen Spezies. Ich treffe ihn auf dem Rückweg in der Holzfällerstadt Prince George. Er schimpft Umweltschützer »scheinheilige Idioten« und hält mit nichts zurück, als ich ihn für die Webseite meiner kanadischen Freundin Gail filme.

O-Ton Ron Vanderhoof

»Hallo, Ron ist mein Name, ich komme aus Prince George. Da leb ich schon seit sechzehn Jahren. Ich bin vor zweiundzwanzig Jahren aus Flandern eingewandert. Ich hab viele Freunde, nur eine schöne Frau fehlt mir noch. Heiraten will ich aber nicht. Keine Zeit für so was. Ich arbeite dreizehn Stunden am Tag, sechs Tage die Woche. Ich fahre einen Truck, der ist fast 47 Tonnen schwer. Wenn er voll beladen ist, mit Baumstämmen, dann kommt er auf 120 Tonnen. Wenn es nass ist, und hier regnet es viel, also wenn die Forststraße nass ist, kann das ganz schön gefährlich sein. Ihr müsst euch vorstellen, 70 Stundenkilometer, 120 Tonnen in voller Fahrt – das ist nichts für zarte Jüngelchen. Manchmal kentert ein Truck. Ich hab auch schon einen hingelegt.

Früher hab ich Bäume gefällt. Das sind nicht solche Streichhölzer wie in Europa. Die größte Tanne, die ich umgelegt habe, hatte einen Durchmesser von viereinhalb Metern. Das sind 164 Kubikmeter Inhalt. Damit könnte man mehrere Häuser bauen. Aber ich soll ja noch etwas zu den Frauen sagen. Also mich stört die Unzufriedenheit der Frauen. Die wollen immer mehr. Neue Möbel, wenn die alten noch gut sind, ein größeres Wohnzimmer. Dann wollen sie unbedingt wegfahren, nach Las Vegas oder so. Ist bei mir nicht drin. Muss ich gleich ganz klar sagen.

Meine letzte Freundin ist ein Pferdenarr gewesen. Ich hab ihr gesagt, ich weiß schon, warum Frauen so gern im Sattel sitzen.

Was, ihr versteht diesen Witz nicht? Ist wohl mehr für Männer. Also keine schmutzigen Witze mehr.

Ich werke gern zu Hause rum. Ich hab immer was zu tun. Fische räuchern zum Beispiel. Die Frauen wollen immer etwas mit mir unternehmen. Am Strand wandern und grillen oder so. Kinder will ich nicht. Ich will mich mit fünfzig zur Ruhe setzen. Dafür spare ich. Ich sage den Frauen: Wenn es euch nicht passt, kann ich auch nichts dafür. Bei mir wisst ihr, woran ihr seid. Keine Flausen, keine Lügen. So bin ich. Es wäre trotzdem schön, wenn ihr euch bei mir melden würdet. *So long, ladies.*«

9

Freiheit und Anarchie

Wayne ist höchst frustriert. Er lässt sich neben mir aufs Sofa fallen und verschränkt die Arme. »Ich verstehe nicht, warum du dir dieses idiotische Spektakel jeden Tag ansiehst. Auf dem Sportkanal läuft ein wichtiges Eishockeyspiel.«

Ich verfolge wie immer die »Question Period«. Das ist die tägliche Fragestunde im kanadischen Parlament. Eigentlich ist sie dazu gedacht, dass Abgeordnete dem Premierminister oder anderen Kabinettsmitgliedern Fragen stellen können. Sie dauert 45 Minuten und wird vom Fernsehen übertragen. Anfänglich war ich schockiert darüber, wie ungesittet sich kanadische Politiker während der Question Period benehmen. Sie buhen, lärmen, rufen dazwischen, hören gar nicht zu, was die Vertreter der anderen Parteien zu sagen haben. Dafür klatschen sie demonstrativ für die eigenen Parteigänger, machen sich lustig über andere Meinungen und überziehen ihre politischen Gegner mit Schmähungen. Niemand, der sich dieses Gezänk ansieht, wird die Kanadier für nett und höflich halten. Wehe, wenn sie losgelassen, möchte man mit Schiller sagen.

Wayne hasst die Question Period. Und er lässt mich das jedes Mal wissen. Auch jetzt.

Nicht schon wieder, denke ich. Ich mag diese Auseinandersetzung nicht mehr führen. Trotzdem antworte ich geduldig: »Ich bin Auslandskorrespondentin, und die Question Period ist wichtig für mich.«

»Das ist doch nur ein Theater, das nimmt doch niemand ernst.«

Ein bisschen recht muss ich ihm schon geben.

Aber selbst ein politisches Theater hat sein Gutes. Die Question Period zum Beispiel ist nützlich für die Bereicherung meines Wortschatzes, ich lerne die Bedeutung von Ausdrücken kennen, die Durchschnittskanadier nicht in den Mund nehmen. So ist ein Minister von einem Abgeordneten mit der Bezeichnung »sleazebag« bedacht worden, was ich im Wörterbuch nachschlagen musste: Das ist jemand, den man für unmoralisch hält. Im Volksmund: ein Dreckskerl.

»Dank der Question Period«, so setze ich meine Argumentation fort, »kann ich mir die Namen und Gesichter der Minister besser merken, denn die wechseln ja so schnell ihre Posten, dass ich gar nicht mehr mitkomme.«

»Du verstehst doch die Hälfte von dem, was die erzählen, gar nicht«, sagt Wayne. »Die reden Französisch und Englisch durcheinander.«

»Kanada ist nun mal ein Land mit zwei offiziellen Amtssprachen. Es wird ja alles übersetzt.«

Wayne ereifert sich. »Selbst darüber streiten sich die Politiker. Hat sich nicht kürzlich einer darüber beklagt, dass die Übersetzung seiner Aussagen in der Question Period nicht korrekt war?«

Ich sollte nicht überrascht sein, dass Wayne solche Details bekannt sind. Jeden Tag liest er meinen Stapel Zeitungen. Er hat auch Zeit dazu, denn er ist wieder einmal arbeitslos. Der Job im Supermarkt war ihm nach zwei Wochen zu langweilig.

»Lass mich einfach meine Arbeit machen«, sage ich zu ihm. »Ich bin jetzt offiziell im Büro, auch wenn mein Büro zu Hause ist.«

Wayne stöhnt. »Eishockey ist in Kanada viel wichtiger als die Politik. Nur wenn du Eishockey verstehst, verstehst du die Kanadier.«

Da hat er wahrscheinlich wieder recht, aber die Edmonton Oilers und die Montreal Canadiens geben nun mal nicht der amtierenden Regierung Saures. Dafür bin ich jetzt ein bisschen sauer geworden.

»Wayne, wenn du das Programm auswählen willst, musst du dir einen eigenen Fernseher zulegen.«

Mein Boyfriend seufzt demonstrativ. »Dafür reicht mein Einkommen noch nicht, diese Stadt ist einfach zu teuer für mich.«

»Wenn man all deine Geldbußen fürs Falschparken zusammenzählen würde, dann könntest du dafür sicher zwei Fernseher kaufen«, sage ich.

Wayne legt den Arm um mich. »Wir sind ein Paar, da muss man doch teilen. Das sagt sogar das Gesetz.«

Ich richte mich auf. »Wie denn das?«

»Ganz einfach: Wir sind bald Common-Law-Partner, und da ist man so gut wie verheiratet.«

Common-Law-Partner? Das lenkt mich nun wirklich von der Question Period ab. Ich überlasse Wayne den Fernseher und suche im Internet nach den Bestimmungen über Common-Law-Beziehungen in British Columbia. So erfahre ich, dass unverheiratete Paare, die zwei Jahre in einer Beziehung unter einem Dach leben, vom Gesetz erfasst werden. Je mehr Einzelheiten ich lese, umso Schlimmeres schwant mir. Eines weiß ich mit Sicherheit: Ich habe keine Lust, nach der Trennung einen Ex-Boyfriend

unter bestimmten Umständen finanziell zu unter-
stützen.

So sachte, wie ich kann, mache ich Wayne klar, dass
er Geld verdienen muss, sonst ...

»Wenn ich im Norden wäre, wüsste ich schon, wie
ich Geld verdienen könnte«, sagt er.

»Wie denn?«

»Mit Pilzen.«

»Wie bitte? Mit Pilzen?«

»Ja, ich würde Pilze sammeln. Viele Leute tun das.
In den Pinienwäldern wächst der Matsutake-Pilz.
Die Japaner zahlen ein Vermögen dafür. Manche
Sammler machen Hunderte von Dollar täglich, ich
sag's dir.«

»Hast du das schon mal ausprobiert?«

»Ja, als Hobby am Wochenende. Ich hab ein Auge
dafür. Ich kenne ein paar geheime Orte, wo die wachsen. Es ist wie ein Goldrausch dort oben, du kannst
dir das nicht vorstellen.«

Nein, das kann ich tatsächlich nicht. Aber meine
Neugier ist geweckt. Nach einigen Recherchen weiß
ich mehr. Der Matsutake, auch Pine Mushroom oder
deutsch Kiefernpilz genannt, ist ein würziger Spei-
sepilz, den die Japaner seit Jahrhunderten als Delikatesse schätzen. Das Forstministerium von British
Columbia vermutet, dass in der Provinz jährlich 250
bis 400 Tonnen Matsutake geerntet werden. Die Behörden können aber diesen Wirtschaftszweig nicht
wirklich kontrollieren. Die Jagd nach dem »weißen
Gold« zieht Scharen von Glücksrittern, Abenteurern
und Freibeutern an. Und jetzt natürlich mich.

Ich kann einer guten Geschichte nicht widerstehen,
und die Redakteurin der Wochenendbeilage, der ich
davon erzähle, auch nicht. Die Sache ist geritzt.

So biegen wir zwei Wochen später in der Nähe der Stadt Terrace auf den Nisga'a-Highway ein und stellen am Abend unser Zelt am Drachen-See auf. Wir sind nicht allein: Indianische Kinder des einheimischen Nisga'a-Stammes vergnügen sich im Wasser. Das ist ihr Land, und die Sammler müssen den Indianern eine Gebühr zahlen, wenn sie im Tal des Flusses Nass Pilze sammeln wollen.

Wayne ist sonst kein Frühaufsteher, aber am nächsten Morgen ist er schon in der Dämmerung auf den Beinen. Das Matsutake-Fieber hat ihn im Griff. Wir irren mit Waynes altem Auto eine Zeitlang auf den Schotterstraßen am Rand der Wälder umher, bis er plötzlich ruft: »Hier! Hier muss es sein!«

Ich habe keine Ahnung, wie er den Ort erkennt, an dem er früher viele Matsutake eingesammelt hat. Hoffentlich finden wir wieder zum Wagen zurück, denke ich, als wir kreuz und quer durch den Wald laufen. Im Gegensatz zu anderen Sammlern besitzt Wayne nämlich kein GPS.

Wir rutschen Böschungen hinunter, balancieren auf Baumstrünken über Bäche, kämpfen uns auf der anderen Seite wieder hoch. »Pass auf den Devil's Club auf«, sagt Wayne und deutet auf eine große stachelige Pflanze. »Wenn du die Stacheln in der Haut hast, entzünden sie sich und es schmerzt höllisch.«

Vor einer anderen Pflanze müssen wir uns auch hüten: vor dem Skunk Cabbage, weil die Bären ihn zum Fressen gern haben. Man kann ihn schon aus der Distanz riechen, und deshalb nennt man ihn Stinktier-Kohl.

Schon bald sind mein Gesicht und meine Haare verklebt mit Spinnnetzen. Nur die Schreie der Eichhörnchen durchbrechen die Stille. Wayne versucht mir zu erklären, wie man Matsutake entdeckt. Die Pilze verstecken sich nämlich unter Moos, in Wurzelhöhlen, unter Decken aus Tannennadeln und Blättern, oder unter morschen Baumstämmen. Kleine Rundungen unter dem Waldboden sind oft ein sicheres Zeichen für Kiefernpilze. Sie sind elfenbeinfarben und kommen in vielen Größen vor.

»Ein Freund von mir hat immer gesagt: Du musst nach weiblichen Brüsten Ausschau halten«, sagt Wayne, ohne seinen Blick von der Umgebung zu lösen.

Ich zupfe Zweige aus meinem Haar. »Warum kauft er dann nicht den *Playboy*?« Meine Stimmung ist nicht gerade die beste.

Wir sind schon zwei Stunden gelaufen und haben noch nichts gefunden außer frischer Bärenkacke. Gerade als ich an Waynes Erinnerungsvermögen zu zweifeln beginne, läuft er zielstrebig auf eine Erhebung zu. Er fällt auf die Knie und schält etwas Weißes aus dem Erdbett. Dann streckt er mir einen intakten Pilz entgegen.

»Der ist perfekt«, sagt er mit glänzenden Augen. »Keine Würmer und nicht von Eichhörnchen angefressen. Der ist mindestens ein halbes Pfund schwer.«

Wayne steckt mich mit seiner Begeisterung an. Mit den Händen tasten wir den Waldboden ab und finden fünf weitere Matsutake, nicht ganz so schön und groß wie der erste, aber immerhin. Nach einigen Stunden sind wir dennoch von der Ausbeute enttäuscht. Andere Sammler sind vor uns in Waynes Goldgrube gewesen. Wir sehen es an weggeworfenen faulen Pilzen und dunklen Löchern im Moos.

Am späten Nachmittag fahren wir nach Nass Camp, einem ehemaligen Holzfällerlager, wo sich eine Tankstelle, ein Gemischtwarenladen und ein schummriges Restaurant befinden.

Rundherum haben die Pilzkäufer provisorische Holzhütten aufgestellt. Wayne erkundigt sich nach dem Preis.

»Was, nur elf Dollar für ein Pfund?«, fragt er. »Vor einigen Wochen waren es doch noch über fünfzig!«

Er runzelt die Stirn. »Die bieten Anfang der Saison hohe Preise, um die Sammler anzulocken, und dann, wenn die Leute hier sind, wollen sie nur noch Hals-abschneider-Preise bezahlen.«

Ein junger Indianer stolpert schwer beladen in eine der Hütten. Er strahlt über das ganze Gesicht. Sein Name ist Fred. In fünf Stunden hat er 25 Pfund Mat-sutake ausgegraben. Wie macht er das nur?

»Man muss halt jeden Baum persönlich kennen«, sagt Fred. Er will gleich wieder in den dunklen Wald zurück und im Schein der Taschenlampe weitergra-ben.

Mit dem Geld, das Wayne für seine Pilze erhält, können wir uns wenigstens zwei warme Mahlzeiten im Restaurant mit dem großartigen Namen »Tillicum Lodge« und ein bisschen Benzin leisten.

Wir laden Bayley ein, eine Sammlerin Anfang fünf-zig, die stets allein mit ihrem Hund und einem GPS in den Busch geht. Bayley arbeitet sonst als Steuer-beraterin. Jedes Jahr verlässt sie ihren Mann für ein paar Monate, um ein bisschen Abenteuer beim Pilz-sammeln zu erleben. An diesem Abend ist sie un-glücklich, weil ein reicher Fundort vom letzten Jahr gerodet worden war. Es werde fünfzig Jahre dauern, bis dort wieder Pilze wachsen, sagt sie.

»Haben Sie nicht Angst, so allein in der Wildnis?«, frage ich.

»Ach was«, sagt sie, »der Wald ist wie ein Zuhause für mich. Nur wenn Grizzlybären herumhängen, macht es mich nervös. Aber bisher habe ich Glück gehabt.«

»Wo schlafen Sie denn?«

»In meinem Wohnmobil, das kann ich überall parken.«

»Aber hier sollen Männer mit Schusswaffen unterwegs sein, hab ich gehört. Ehemalige Knastbrüder, hat mir ein Pilzkäufer gesagt. Und Drogen machen offenbar auch die Runde.«

»Das klingt wie Toronto, wo ich sonst lebe. Aber in Toronto kann ich leider keine Matsutake pflücken.« Sie lacht. »Wissen Sie, das ist wie eine Sucht. Es geht allen hier so. Weil man einmal an einem guten Tag 300 Dollar verdient hat, kommt man nicht mehr davon los. Nur wegen dieses einen guten Tages.«

Sie steckt ihrem Hund einen Happen Fleisch zu. »Ich muss einfach raus und sehen, ob ich nicht auf eine Goldader stoße. Wenn ich plötzlich etwas Weißes aufblitzen sehe, dann spüre ich Adrenalin in meinem Blut. Kann ich noch ein Bier haben?«

Natürlich spendiere ich ihr eines. Auch ich bin auf Adrenalin. Ich spüre, das wird eine gute Geschichte.

Morgen kommt Connor, ein junger kanadischer Fotograf, nach Nass Camp. Ich weiß, der wird tolle Bilder schießen! Ich habe mit ihm schon ein paarmal zusammengearbeitet. Connor ist einen Kopf kleiner als ich und ziemlich stoisch, wenn es um meine überdrehten Ansprüche geht. Aber Connor würde für ein gutes Bild auf dem Bauch durch den Sumpf robben. Vielleicht würde er sogar Stinktier-Kohl essen, aber das will ich lieber nicht ausprobieren.

In Nass Camp erzählt man mir vom »Zoo«, einer Zeltstadt am Kitwanga Highway. »Es ist der einzige Zoo, in dem die wilden Tiere nicht eingesperrt sind«, sagt ein Pflücker.

Gerüchte von Drogen, Verbrechen und Prostitution umwehen den Zoo. Da müssen wir hin.

Nach einer langen holprigen Fahrt sehen wir tatsächlich eine aus Plastikplanen und Holzbrettern zusammengebaute Wildnis-Siedlung.

»Wow, das gefällt mir«, sagt Wayne, »hier herrschen noch Freiheit und Anarchie. Das braucht ein richtiger Kanadier von Zeit zu Zeit.«

Ich schaue mich um. Ja, wie die Glastürme von Vancouver, wo Wayne jetzt leben muss, sieht das bestimmt nicht aus.

Im Zoo, so stellt sich heraus, regiert ein heimlicher Bürgermeister, ein bärtiger Mann, der seine Katzen darauf trainiert, ihm auf Zuruf auf den Schoß zu hüpfen. Aber von Huren will niemand etwas wissen. Über Drogen redet niemand, obwohl es überall nach Haschisch riecht. Ausgerechnet eine Sekte hat im Zoo eine Wasserleitung gebaut, aber nicht alle Pflücker können sich die drei Dollar für eine Dusche leisten. Für manche sind auch die Hamburger aus dem fahrenden Imbissstand zu teuer.

Am nächsten Tag begleitet uns Connor mit seiner Kamera in den Wald. Die Ernte ist nicht berauschend. Der dritte Tag ist Waynes Glückstag. Er macht 250 Dollar. Steuerfrei. Von da an weiß ich, dass ich ihn an den Matsutake-Rausch verloren habe. Wenigstens für den Rest des Herbstes.

Connor und ich fahren gegen Ende der Woche nach Vancouver zurück. Wir brauchen dazu zwei Tage. Zu Hause schreibe ich die Geschichte über das weiße Gold. Ich schreibe noch andere Geschichten, ich schreibe und schreibe, damit ich meine Miete bezahlen kann.

Wayne telefoniert ab und zu, wenn er in Nass Camp ist. Vorher fragt mich immer eine Stimme in der Leitung, ob ich den Anruf bezahle. Ja, natürlich nehme ich das auf meine Rechnung.

Waynes Glückstag wiederholt sich nicht mehr. Er klingt zunehmend deprimierter. Die Pilze machen sich rar. Die Preise steigen und fallen, meistens fallen sie.

Was hat Wayne mir erklärt, als er den Zoo zum ersten Mal sah? Freiheit und Anarchie, das brauchen die Kanadier von Zeit zu Zeit. Ich muss sagen, das hat wirklich was für sich. Damit könnte ich mich anfreunden. Ich zum Beispiel genieße die Freiheit, mich ungestört der Question Period widmen zu können, auch wenn sich die Abgeordneten und Minister außer Rand und Band benehmen. Und strenggenommen sind die Politiker in Ottawa ja auch nur Menschen, die brauchen vielleicht jeden Tag 45 Minuten Anarchie, um die Politik auszuhalten.

Eines Tages klingelt das Telefon.

»Mein Auto hat schlappgemacht«, sagt Wayne. »Ich hab kein Geld für die Reparatur. Kannst du mir was schicken?«

»Tut mir leid«, sage ich, »ich musste gerade für deine Schulden bei deinem Kumpel Gary geradestehen. Das war mir teuer genug. Und jetzt fahr ich einen Monat auf Heimaturlaub. Pass auf dich auf!«

Es ist wohl nicht schwer zu erraten: Unsere Beziehung ging dem Ende zu. Aber ich bin Wayne für immer und ewig dankbar. Dankbar, dass er mich nach Kanada gelotst hat.

Denn hier tue ich Dinge, die ich in Deutschland nie tun würde. Zum Beispiel wegen ein paar lausiger Pilze dreitausend Kilometer zurücklegen – und es anschließend nicht bereuen.

10

Das Dating-Spiel

Tina sieht mich besorgt an. »Du darfst dich nicht so in deine Arbeit vergraben«, sagt sie, »du musst kanadische Männer kennenlernen.«

Wir trinken Kaffee bei Blenz, denn Tina zieht diese Kaffeehauskette Starbucks vor, »weil Blenz eine kanadische Firma ist«. Tina hat wie immer eine Sonderausgabe verlangt: fettfreie Milch, Kaffee aus fairem Handel, biologisch, doppelter Kaffeeanteil, koffeinfrei, mittlere Tassengröße, einen Schuss Vanilleextrakt. Ich bestelle immer nach ihr und sage: »Dasselbe, aber mit Koffein.«

Als sie mir mit kanadischen Männern kommt, winke ich ab. »Ich hatte ja einen Kanadier als Freund, der hat mich eine Menge Geld gekostet, und wenn ich mich in die Arbeit stürze, verdiene ich wenigstens etwas.«

Tina schüttelt den Kopf. »Das war doch gar kein typischer Kanadier. Wahrscheinlich denkt man in Deutschland, für Kanada sei ein Mann im Holzfällerhemd typisch, oder ein Cowboy oder ein Hundeschlittenführer. Ist doch Quatsch, typisch ist ein Mann aus einer Großstadt. Wir Kanadier leben doch vor allem in Städten, alles andere ist eine Verzerrung der Realität. Wir sind modern und modisch –«

Ich unterbreche sie sofort. »Ich stehe aber auf hemdsärmlig und erdig.«

»Aber du passt doch besser zu einem Mann, der schon einmal in einem anderen Land als Kanada war und einen weiteren Horizont hat.«

Ich lächle resigniert. »Du meinst also einen Deutschen, der in Kanada lebt.«

»So zynisch brauchst du nun auch wieder nicht zu sein«, ruft Tina. »Es gibt auch kanadische Männer, die reisen und wissen, wer Angela Merkel ist.«

Ich hebe abwehrend die Arme. »Ich will nicht in die Dating-Szene, das ist mir in Kanada zu kompliziert. In Deutschland haben wir nicht mal ein Wort für Dating. Das klingt so formell. Wir gehen einfach miteinander aus.«

»Was hast du denn über Dating hier gehört?«

»Wenn mich ein Mann an einem Samstag zum Essen einlädt, ist es ein Date und er ist interessiert. Nach drei Dates sollte er klar zu verstehen geben, ob das nun der Anfang einer Beziehung ist oder nicht.«

Tina rollt die Augen. »Also, früher war das vielleicht mal so, aber heute –«

»Doch, doch, so ist das anscheinend auch noch heute. Ein Deutscher, der in Vancouver lebt, hat mir kürzlich gerade eine Geschichte dazu erzählt. Er hat sich nach dem dritten Date nicht klar geäußert, und die Kanadierin, mit der er ausging, schrie ihn über den Tisch hinweg an, er nütze sie kaltblütig aus und habe gar keine ernsthaften Absichten.«

»Wow«, sagt Tina, »das ist aber extrem. Vielleicht hast du recht, wahrscheinlich geht es hier etwas formeller zu als in Europa. Aber es ändert sich, glaub mir. Was hast du noch festgestellt?«

Ich überlege. »Die Männer sehen einem nicht in die Augen. Sie flirten nicht. Sie schauen einer Frau auf der Straße nicht nach. Sie … ihnen fehlt das Spielerische, finde ich. Sie sind mehr wie ... sie sind eher kameradschaftlich.«

»Das ist auch kein Wunder«, sagt Tina. »Die Männer müssen ja immer aufpassen, dass ihnen eine Annäherung nicht als sexuelle Belästigung ausgelegt wird. Diese politische Korrektheit macht alles sehr schwierig.« Ihr Blick schweift in die Ferne. »Als ich in Montreal war, da hab ich es auch anders erlebt. Die Frankokanadier sind mehr wie die Europäer. Vielleicht solltest du nach Montreal ziehen.«

»Ich will es doch gar nicht europäisch haben«, protestiere ich. »Ich wäre doch sonst nicht in Kanada.«

Tina stopft sich ein Stück Bananenkuchen in den Mund. »Weißt du, hier im Westen herrscht immer noch ein bisschen diese Pioniermentalität. Frauen und Männer mussten sich in der Gründerzeit eine Existenz aus dem Nichts aufbauen, unter sehr harten Bedingungen. Sie waren mehr Kumpel als Liebespaar. Vielleicht hat sich das bis heute erhalten.«

»Wie hast du denn eigentlich Frank kennengelernt?«, frage ich.

»Er war meine Schulliebe, mein Highschool-Sweetheart. Und ich kenne einige Paare, die ebenfalls aus der Schulzeit überdauert haben.«

»Na gut, du hast also nie gedatet, und ausgerechnet du willst, dass ich Männer treffe!«

»Ja, genau, und ich habe auch eine Idee, wie. Hör zu. Eine Bekannte von mir arbeitet für eine Dating-Agentur. Du brauchst nichts weiter zu tun als deine Hobbys und Präferenzen anzugeben, und sie bringen dich mit lauter interessanten Kanadiern zusammen. Klingt das nicht gut?«

»Tina, da ist doch ein Haken dabei, oder?«

Sie zieht die Schultern hoch. »Es kostet natürlich

etwas, aber dann weißt du wenigstens, wofür du so hart arbeitest.«

»Tina, ich weiß, du meinst es gut mit mir. Trotzdem muss ich sagen: nein danke.«

Zwei Wochen später bin ich Kundin der Dating-Agentur »Vancouver-in-Love«. Schuld ist Gail, meine kanadische Freundin in Deutschland, die findet, die Porträts der kanadischen Junggesellen auf ihrer Webseite seien zwischenzeitlich überholt (»stale« sagte sie, was so viel wie muffig bedeutet, worauf ich Schimmel auf den Köpfen der armen Männer sprießen sah). Sie will neues Material von mir. »Hast du nix Aufregendes? Wir brauchen mehr FUN!«

Ich habe mich weichklopfen lassen. Den Ausschlag gab, dass sie einen Teil der Gebühren übernehmen will, die ich für die Dating-Agentur bezahlen muss. Wie heißt es doch in dem Musical-Song? »Money makes the world go round …«

Meine Kundenbetreuerin bei »Vancouver-in-Love« heißt Samantha. Sie ist zweiundzwanzig Jahre alt, was ihrem Äußern gut ansteht, aber ihrer Beziehungserfahrung nicht. Nur ist Beziehungserfahrung, wie ich bald merke, bei »Vancouver-in-Love« nicht gefragt.

»Ich habe den perfekten Kandidaten für Sie: Brendon«, säuselt sie am Telefon. »Er ist Unternehmensberater und schreibt in seiner Freizeit Krimis, da teilen Sie schon eine Leidenschaft.«

Ich treffe Brendon in einem Fischrestaurant am Coal Harbour, einem Viertel mit luxuriösen Wohntürmen und schicken Restaurants mit Sicht auf die Yachten reicher Vancouveriten. Immer wieder setzen weiter draußen einmotorige Flugzeuge zur Wasserung an.

Brendon kommt verspätet und erzählt mir gleich, wie reich er sei. Ich frage mich, warum er dann mit all dem Geld seine schlechten Zähne nicht richten lässt. Als Nächstes teilt er mir mit, dass er an drei Drehbüchern gleichzeitig arbeite, unter anderem für einen Film, der Millionen machen werde. Ich frage ihn, warum er das so genau wisse, da er doch noch am Drehbuch arbeite.

»Wenn ich es nicht wüsste, warum würde ich das Drehbuch dann schreiben?«, entgegnet er.

Dann verrät er mir, dass er für einen Ratgeber mit dem Titel »Wie Sie Ihr Bauchfett loswerden« einen Vorschuss von fünfzigtausend US-Dollar erhalten habe (es wurde laut Brendon in den USA veröffentlicht). Er überreicht mir eine Visitenkarte.

»Da steht aber ein anderer Name drauf«, sage ich.

Das bringt ihn nicht in Verlegenheit.

»Oh, das ist einer meiner Angestellten, ich habe meine Karte gerade nicht bei mir. Aber die Telefonnummer ist dieselbe.«

Zum Abschied drückt er mir ungefragt seine feuchten Lippen auf die Wange.

Am nächsten Tag ruft mich Samantha an. Sie will meine Rückmeldung.

»Wenn Sie das Treffen mit Brendon auf einer Skala von null bis zehn bewerten«, fragt sie, »was geben Sie ihm dann?«

»Null«, sage ich.

Samantha bleibt freundlich. Sie ist schließlich Kanadierin. Dann vermittelt sie mir John, dessen Vorfahren aus China stammen. Er kommt auf Rollerskates angesaust, seine knielangen Bermuda-Shorts sind grell gemustert. Ich bin froh, dass er die Rollschuhe auszieht, bevor wir das Restaurant betreten.

»Eigentlich möchten meine Eltern, dass ich eine Chinesin heirate«, vertraut er mir bei Scampi und Reis an. »Aber ich stehe auf weiße Kanadierinnen, obwohl ich das eigentlich nicht sagen sollte. Das könnte mir als umgekehrter Rassismus ausgelegt werden.«

»Kein Problem«, sage ich, »ich halte Offenheit für besser als immer Angst zu haben, jemandem auf die Füße zu treten.«

John nimmt das sichtlich als Aufmunterung. »Ja, das sehe ich auch so. Meine Geschwister sprechen Englisch, aber meine Eltern nicht. Fast meine ganze Verwandtschaft spricht nur Chinesisch.«

Ich spitze die Ohren.

»Wie viele Ihrer Verwandten leben in Vancouver?«

»Na, so ziemlich alle.«

»Wie viele sind das denn?«

John denkt nach.

»Wahrscheinlich etwa hundertfünfzig, würde ich sagen.«

Ich kann mein Erstaunen nicht verbergen.

»Das sind aber viele!«

»O ja, Familie ist für uns sehr wichtig. Darf ich Ihnen etwas sagen?« Er beugt sich vor. »Sie sollten umziehen.«

»Umziehen? Warum?«

»Ihre Hausnummer enthält die Zahl Vier. Das bringt Unglück.«

Ich sehe ihn verblüfft an. »Es ist doch nur eine Zahl!«

Er schüttelt den Kopf. »Vier wird in Chinesisch als ›si‹ ausgesprochen, und das klingt wie das Wort für Tod. Aber Sechs ist eine Glückszahl.«

»Ich bin nicht abergläubisch«, sage ich. »Ich liebe

schwarze Katzen und gehe auch unter Leitern hindurch.«

John runzelt die Stirn. Deutscher Aberglaube ist ihm sichtlich fremd. »Chinesische Weisheit ist sehr wichtig. Wenn ich ein Haus kaufe, müssen vor dem Eingang große Säulen stehen, damit die guten Geister hineinkönnen.«

Das wird kompliziert, denke ich. Ich trinke den Weißwein aus.

»Ich glaube, unser kultureller Hintergrund ist zu unterschiedlich, John. Ich könnte mich ja nicht einmal mit Ihren Eltern unterhalten.«

»Vielleicht möchten Sie Chinesisch lernen? Sie beherrschen ja so viele Sprachen.«

Ich kann mir ein Lächeln nicht verkneifen.

»Vielleicht wäre es sinnvoller, Ihre Eltern würden Englisch lernen. Sie leben ja in Kanada.«

»Oh«, sagt John. Und dann nochmals: »Oh.« Dann verstummt er. Sicher bin ich wieder in ein Fettnäpfchen getreten. Ich kann die Unterhaltung nicht mehr retten. Es wird ein gequälter Abschied.

Die darauffolgende Woche arrangiert Samantha ein Treffen mit Ted. »Er besitzt drei Hotels, in denen viele europäische Touristen absteigen«, schwärmt sie. »Der hat das internationale Flair, das Sie suchen.«

Ach ja? Tu ich das? War mir bislang nicht bewusst.

Ted kommt eine Viertelstunde zu spät, er ist wegen einer Friedensdemo in Downtown Vancouver im Verkehr stecken geblieben. Das lässt er mir durch den Kellner des Restaurants »Crime Lab«, in dem ich warte, ausrichten.

Ted bemüht sich wirklich. Ein freundlicher, nicht ganz schlanker Mann, sein schütteres Haar ist sichtlich gefärbt. Er überreicht mir eine weiße Rose. Diese

Geste wirft mich fast um. Ein Kanadier, der für sein Date eine Blume kauft! Und das ist noch nicht alles: Er hat aus dem Internet einen Enzian ausgedruckt. »Ich wollte etwas bringen, dass Sie an Ihre Heimat erinnert«, sagt er. So aufmerksam.

Und dann kommt er zur Sache. Ted möchte wissen, wie man seine Hotels in Europa bekannter machen könnte.

»Sie kennen sich sicher bei den Medien aus«, sagt er. »Ich glaube, dass es im Tourismus noch so viel unausgeschöpftes Potential gibt.«

»Aber Vancouver hat doch bestimmt genug Touristen«, sage ich ausweichend.

»Wir brauchen mehr Europäer«, sagt Ted. »Für viele Amerikaner ist Kanada zu teuer geworden. Aber in Europa gibt es eine Menge reiche Leute.«

Ich bin nicht verärgert, weil die hausgemachten Ravioli himmlisch schmecken. Mindestens so gut wie in Italien. Und ich verstehe Ted ja auch. Ein Geschäft zu haben ist immer eine Herausforderung. Jeder überlebt, so gut er kann.

Ted sagt, sein Traum wäre es, die Westküste hinauf- und hinunterzusegeln.

»Sie lieben also die Natur«, sage ich. Ein Hoffnungszeichen.

»Ich besitze zwar ein Zelt«, sagt Ted. »Aber eigentlich bin ich mehr ein urbaner Mensch.«

Bingo.

Ted begleitet mich an die Bushaltestelle. Während wir warten, bis der Bus kommt, erzählt er mir von seiner achtzigjährigen Mutter.

Nach diesem Treffen ist mir nach einer Dating-Pause. Aber drei Wochen später lässt mir Samantha keine Ruhe mehr.

»Rudy könnte wirklich gut zu Ihnen passen«, sagt sie. »Er ist ein sportlicher Typ, er besitzt ein Kajak, und er kocht gern.«

Das ist alles wahr. Rudy hat eine sportliche Figur, er kajakt für sein Leben gern, und er campiert oft in der Wildnis. Ja, und kochen tut er auch. Aber sonst ist alles anders, als ich mir vorgestellt hatte.

Bei unserem ersten Treffen finde ich mich in einer Küche wieder. Genauer: in der Küche des Sikh-Tempels in Surrey, einer Satellitenstadt von Vancouver. Während er Kartoffeln schält, erzählt er mir, dass er mit einer Internet-Firma viel Geld gemacht habe. Aber irgendwann fand er sein Millionärsleben zu schal. Er suchte einen Sinn im Leben – und fand ihn in der indischen Religion der Sikh. In Vancouver und Umgebung leben viele Sikhs, und es gibt mehrere große Tempel. In einem arbeitet Rudy als freiwilliger Küchenhelfer, einer der wenigen Männer in der Küche.

Dort herrscht an diesem Tag Hochbetrieb, eine Hochzeit findet statt.

»Die Braut arbeitet für eine kanadische Bank, der Bräutigam als Programmierer bei einem Rohstoffkonzern«, sagt Rudy. »Aber trotzdem wollen sie eine ganz traditionelle Hochzeit.«

Ich mische mich unter die Gäste, die vor dem weißen Tempel auf das Brautpaar warten. Die vergoldeten Zwiebelkuppeln leuchten in der Sonne. Ich kann mich an den Farben und Mustern der Saris nicht sattsehen. Wie schön die indischen Frauen sind, denke ich. Mit all dem Schmuck und dem schwarzglänzenden Haar sehen sie wie stolze Prinzessinnen aus. Warum will sich Rudy da mit einer bleichgesichtigen Europäerin treffen?

Die Männer tragen Turbane, dazu festliche Anzüge in dezenten Farben nach westlicher Manier. Wie in einem Traum bewege ich mich in dieser fremden, faszinierenden Welt. Ich muss mich immer wieder daran erinnern: Das ist Vancouver und nicht Indien. Braut und Bräutigam schreiten nacheinander in die große Halle, wo die Gäste ohne Schuhe auf dem Teppich sitzen (mir wird es schnell unbequem, aber ich harre aus).

Während der stundenlangen Zeremonie stört sich niemand am Geplapper der Kinder und den herumlaufenden Gästen. Die Braut ist eine Erscheinung aus Tausendundeiner Nacht. Edelsteine glitzern auf ihrer Stirn. Ich frage mich, wie sie als Bankangestellte aussieht, im strengen Kostüm mit weißer Bluse. Unvorstellbar.

Während Rudy Hunderte von Kartoffeln für seinen neuen Glauben schält, schwelge ich in einem jahrtausendealten Ritual. Nur zum Schluss bin ich etwas ernüchtert, als die Gäste nach vorne gehen und ziemlich prosaisch Banknoten in den Schoß des Brautpaars werfen. Aber das ist sicher praktischer als eine Geschenkliste vom Kaufhaus.

Einen so schönen Ehemann wie diesen jungen Indokanadier im Schneidersitz möchte ich auch, denke ich mir. Aber das sage ich Rudy nicht. Als ich wieder in der Küche auftauche, wäscht der Arme Teller. Die Familie des Bräutigams lädt mich spontan zum Hochzeitsessen ein, was mich sehr rührt.

Eigentlich müsste ich Mitleid mit Rudy haben, der keines der köstlichen Gerichte vom Buffet genießen kann. Stattdessen beobachte ich gebannt, wie sich das Brautpaar nach uralter Sitte gegenseitig kleine Essensbissen mit der Hand in den Mund schiebt. In diesem Moment weiß ich, dass ich das gern mit einem Mann tun würde, aber nicht mit Rudy.

Wir einigen uns später darauf, freundschaftlich verbunden zu bleiben.

Nach einer solchen Multikulti-Erfahrung hat der Finanzanalyst, den mir Samantha als nächsten Kandidaten unterjubelt, keine große Chance. Auch der Satz »Sie interessieren sich doch für die kanadische Finanzwelt« lässt mich kalt. Samantha kann ihre Entscheidungen immer irgendwie begründen.

Thomas überrascht mich dennoch. Er erscheint mit einem Mountainbike, das er vor dem Steak House ankettet. Sein Körper sieht nach vielen Stunden Krafttraining aus. Es fällt ihm schwer, entspannt zu lächeln. Dafür besitzt er mehrere Miethäuser als Altersversorgung. Das erzählt er mir ziemlich schnell. Aber was habe ich erwartet? Mir sitzt ein Finanzanalyst in der Immobilienstadt Vancouver gegenüber.

Thomas ist in den vergangenen vierzehn Jahren elfmal umgezogen. Er richtet gerade wieder ein neues Haus ein.

»Ich hab mich mal als Rettungsschwimmer am Strand von Kitsilano versucht«, sagt er, »aber das war mir zu anstrengend.« Thomas behauptet, dass er auch wandere, Volleyball spiele und Mitglied des Tennisclubs sei.

»Wie finden Sie Zeit dafür, wenn Sie immer am Umziehen sind?«, frage ich.

Er hat mir sicher darauf geantwortet, aber ich ertappe mich dabei, dass ich ihm nicht zuhöre. Ein schlechtes Zeichen.

Nach Thomas treffe ich noch einen Buchhalter, einen Autoverkäufer, einen arbeitslosen Schauspieler (er war sehr nett, trug Make-up auf der Haut und hatte zwei Jahre lang in einer Fernsehserie einen schusseligen Vater gespielt), einen Immobilienmakler mit koreanischen Wurzeln und einen aus Indien eingewanderten Heidelbeer-Farmer. Als Letztes arrangiert Samantha ein Treffen mit Sylvester. Nach unserem Stelldichein frage ich ihn, ob er für Gails Webseite vor die Kamera treten würde, weil er so viel Interessantes zu erzählen wisse. (Ich kann manchmal alle Register ziehen, wenn ich etwas will.)

O-Ton Sylvester Calhan

»Gleich zu Beginn möchte ich allen Damen in Deutschland einen Ratschlag als Geschenk überreichen. Er lautet: Entweder hat jemand ein gutes Karma oder nicht. Ich kann das schon nach den ersten Minuten erkennen. Nein, nein, ich werde jetzt nicht gleich verraten, was ich bei Ihnen festgestellt habe. Ein bisschen Spannung muss doch sein. Spannung ist positiver Stress.

Ich habe im Moment keine Beziehung, aber ich bin trotzdem glücklich. Warum sind nicht alle Menschen glücklich? Weil sie nicht bewusst sind. Besonders in Afrika sind die Menschen nicht bewusst. In Kanada ist es so viel besser. Deshalb bin ich aus Irland hierher eingewandert.

Ich war viermal verheiratet und habe zwei Kinder. Ich besitze ein großes Haus in West Vancouver, in den British Properties. Da befinden sich auch viele Residenzen von ausländischen Diplomaten, aber nicht das deutsche Konsulat, soviel ich weiß. Vielleicht ist denen das zu teuer. Die Deutschen sollen ja sehr sparsam sein. Mein Haus ist heute wahrscheinlich 1,7 Millionen Dollar wert. Dann habe ich noch ein

Anwesen in Costa Rica. Es ist eher eine Farm. Sie ist fast so groß wie die Innenstadt von Vancouver.

Ich habe nichts gegen Geld. Wenn Geld Mehrwert erzeugt, ist es gutes Geld. Mein Geld hat für mich viel Mehrwert erzeugt. Womit ich Geld verdiene? Das sage ich Ihnen erst, wenn wir uns näher kennen.

Die Frau, die zu mir passt, sollte nicht ›stark‹ oder ›schwach‹ sagen, sondern ›mehr Stärke‹ oder ›weniger Stärke‹. Sie sollte viele Bücher über die Macht des Denkens lesen. Wer richtig denkt, erhält immer, was er braucht.

Ich esse nur makrobiotisch. Das bin ich meinem Körper schuldig. Als ich das der Frau sagte, die ich kürzlich auf einem Date traf, sagte sie: ›Wenn Sie so gesundheitsbewusst sind, warum rauchen Sie dann?‹

Ich musste ihr erklären, dass es die Fähigkeit meines Körpers verbessert, Stress auszuhalten. Ist doch logisch, nicht? Aber das versteht leider nicht jede. Vielleicht gibt es in Deutschland mehr Frauen, die ähnlich denken wie ich. Denn das ist eine absolute Bedingung. Absolut.«

***

Auf Samanthas Verträglichkeitsskala gestehe ich Sylvester eine Eins zu, weil er mich in seinem Video erwähnt, aber glücklicherweise meinen Namen weglässt. Ich bin die Frau mit der dummen Frage.

Ein Bericht in einer kanadischen Frauenzeitschrift klärt mich über die begehrtesten männlichen Dates auf. Laut Umfrage bevorzugen Kanadierinnen die drei A, wenn es auf den Beruf ankommt: Ärzte, Anwälte und Architekten. Politiker kommen an letzter Stelle. Aber gefragt, welches Date am meisten Sexappeal habe, nannten 70 Prozent der Frauen Feuerwehrmänner.

»Ich will ein Date mit einem Feuerwehrmann«, sage ich zu Samantha.

Sie seufzt. »Wir haben einen in unserer Datei, aber er ist im Moment ausgebucht. Ich hätte hier einen sehr netten Mann, er ist Unternehmensberater.«

»Nein danke«, sage ich und nehme mir eine Auszeit.

Nach sechs Wochen meldet sich Samantha wieder: Der Feuerwehrmann sei jetzt vermittelbar. Sein Name ist David.

Es stellt sich heraus, dass David gar nicht mit Dates ausgebucht, sondern auf Urlaub in Mexiko war. Er ist sportlich, aber kein Muskelpaket wie die Feuerwehrmänner auf kanadischen Kalendern. Zu meiner Überraschung ist er belesen, interessiert und sehr, sehr nett.

Weil er weiß, wie gern ich laufe, schlägt er mir gleich einen Spaziergang am Jericho Beach vor. Es wird ein richtig gutes Date, wenn ich das mal so sagen darf. David war viele Jahre verheiratet, was für ihn spricht. Seit drei Jahren ist er Single. Wir unterhalten uns lebhaft und lachen oft. Er erzählt mir von seinem Urlaub und fragt mich, wo ich am liebsten hinreisen würde.

»In die Arktis«, sage ich spontan. Er sieht mich erschrocken an.

»In die Arktis«, wiederholt er langsam, als ob er gleichzeitig heißen Kartoffelbrei essen müsste. »Ich glaube, das ist der Ort, an den mich niemand hinbringen würde. Ich mag es heiß und tropisch. Vielleicht wandere ich nach Mexiko aus.«

Ein Schatten fällt auf unsere Begegnung.

Eine Woche später will Tina alles im Detail wissen. »Will er dich wiedersehen?«

»Er hat mir seine Karte gegeben«, sage ich. »Daraufhin habe ich ihm meine Karte gegeben.«

»Warum?«

»Warum was?«

»Warum hast du ihm deine Karte gegeben?«

»Warum sollte ich nicht?«

»Wenn er dir deine Karte gibt, bedeutet das, dass er will, dass du ihn anrufst.«

»Umso besser, jetzt kann er *mich* anrufen.«

»Aber jetzt ist er verwirrt, weil er nicht weiß, weshalb du ihm deine Karte gegeben hast.«

»Ach was, Tina, das ist doch Humbug. Ich habe sie ihm gegeben, damit er mich anruft.«

»Kanadische Männer müssen ermutigt werden. Der denkt wahrscheinlich, ein kanadischer Feuerwehrmann ist einer deutschen Journalistin nicht gut genug.«

»Aber Tina, Feuerwehrmänner gelten als die Dates mit dem größten Sexappeal. Das weiß der doch auch.«

Zwei Wochen später ruft Tina wieder an. Ich bin erstaunt, dass sie es so lange ausgehalten hat.

»Na? Hat er angerufen?«

»Nein, hat er nicht. Aber er will nach Mexiko auswandern und ich sicher nicht. Ich will nicht mal auf einen Urlaub dorthin. Mexiko ist mir zu heiß.«

»Autsch«, sagt Tina. »Das wird schwierig. Ich glaube, jeder zweite Kanadier will dorthin in den Urlaub. Und jeder andere zweite nach Hawaii.«

»Genau«, seufze ich.

Ich rufe die Geschäftsführerin von »Vancouver-in-Love« an.

»Ich möchte meine Mitgliedschaft in Ihrer Agentur beenden«, sage ich.

»Oh, warum das denn, was können wir besser machen?«

»Sie haben mir drei Immobilienmakler und einen Autoverkäufer angeboten, obwohl ich auf introvertierte Männer stehe.«

»Sie müssen eine offene Einstellung haben, manchmal ist eine unerwartete Begegnung am erfolgreichsten«, sagt die Geschäftsinhaberin.

Ich lasse mich nicht umstimmen. »Dreimal haben Sie mir Dates mit Männern über sechzig vermitteln wollen, das ist sicher nicht die passende Altersgruppe.«

»Aber die hatten alle europäische Wurzeln, was doch sofort eine Gemeinsamkeit ergibt.«

»Mein Auto kommt auch aus Europa, aber wir haben trotzdem nichts gemeinsam«, sage ich.

»Sie müssen verstehen, dass wir Ihr Feedback brauchen, und gerade wenn es negativ ist, können wir viel davon lernen.«

»Ja, die steile Lernkurve konnte ich erkennen. Meinem ersten Date habe ich null Punkte gegeben und dem zweiten einen Punkt.«

»Ich muss Ihnen leider sagen, dass in Ihrer Altersgruppe das Verhältnis von Frauen zu Männern etwa acht zu eins ist. Das heißt, auf einen Mann kommen acht Frauen. Wir können das vielleicht auf fünf zu eins verbessern, aber es bleibt eine Herausforderung.«

»Es wäre schön gewesen, wenn Sie mir das gleich zu Beginn gesagt hätten, dann hätte ich mir die Erfahrung sparen können.«

»Warum kommen Sie nicht auf eine unserer Single-Partys? Vielleicht ist das eine bessere Option für Sie.«

»Nein, ich reise jetzt an einen Ort, wo es viele kanadische Männer auf einem Haufen gibt, die weder Immobilienmakler noch Unternehmensberater sind.«

»Oh«, sagt die Geschäftsführerin, »fahren Sie nach Mexiko?«

»Nein.« Ich bemühe mich, nicht zu lachen. »In die Arktis.«

11

»The True North Strong and Free«

Am Flughafen von Resolute Bay empfangen mich ein ausgestopfter Eisbär und ein aufgelöster Fotograf. Mir ist weder nach dem einen noch dem anderen zumute, ich will nur schlafen. Ich bin fünf Stunden nach Ottawa geflogen, dann vier Stunden nach Iqaluit, der Hauptstadt des Inuit-Territoriums Nunavut, wo ich noch eine wärmere Faserpelzjacke kaufte, und dann nochmals fünf Stunden nach Resolute Bay. Ich habe zwei Tage gebraucht, um in die östliche Arktis zu gelangen.

Connor, mein Fotograf, ist einem Nervenzusammenbruch nahe.

»Sie haben es einfach nicht mitgenommen, sie haben sich geweigert«, ruft er verzweifelt. »Ich habe nichts bei mir, was machen wir nur?«

Ich muss ihn zuerst beruhigen, bevor ich die Details erfahre. Die regionale Fluggesellschaft, die Resolute Bay anfliegt, hat Connors gesamte Kameraausrüstung wieder hinausgeworfen, weil medizinische Güter und Nahrungsmittel transportiert werden mussten. Connor hat keine Ahnung, wann er seine Berufswerkzeuge erhält.

Ein schlechter Start für eine Reportagereise, die Unsummen an Spesen verschlingt und wo nichts schieflaufen darf, weil ich sonst auf den Auslagen sitzenbleibe. Das Risiko trage vorläufig ich, denn in die Arktis würde mich meine Ressortleiterin Sabine Vilmar nicht aus freien Stücken schicken.

»Wenn Sie gehen wollen, dann gehen Sie«, beschied sie mir. »Aber wir beteiligen uns nur an den Kosten, wenn etwas Gscheites dabei herauskommt.«

Klarer hätte sie es nicht ausdrücken können.

Sie ist jedoch nicht die einzige Person, die skeptisch ist.

»Warum willst du überhaupt dorthin?«, fragen Freunde und Bekannte in Vancouver, als sie von meinen Plänen hören. »Dort gibt es nichts als Eis, und es ist saukalt.«

Ich finde, das ist ein schlechtes Argument. Als ob es in Montreal, Toronto oder Calgary im Winter warm wäre. Und trotzdem leben Millionen Kanadier dort.

Ich antworte: »Ich will die Nordwestpassage auf einem Eisbrecher durchfahren.«

Dass bei weitem nicht alle Kanadier wissen, was die Nordwestpassage ist, erfahre ich schnell. So fange ich an zu erklären: »Ihr wisst ja, die kürzeste Verbindung zwischen Alaska und dem Nordatlantik.«

Und was muss ich hören? »Die kürzeste Verbindung zwischen Alaska und dem Nordatlantik ist ein Flug. Warum willst du dafür ein Schiff nehmen, das viel länger braucht?«

»Weil die Nordwestpassage umstritten ist«, sage ich dann, »weil die Amerikaner und die Europäer behaupten, es handle sich um einen internationalen Wasserweg und alle Nationen hätten freie Durchfahrt. Aber Kanada beharrt darauf, dass die Nordwestpassage ihnen gehört und wer durch wolle, müsse um Erlaubnis fragen.«

Das ist nur die Kurzversion einer komplizierten Situation, aber da habe ich meistens das Interesse meiner kanadischen Zuhörer bereits verloren und gebe auf.

Die Reaktionen auf die Arktis kann man schön ordnen.

Die »Saukalt«-Reaktion gehört in die erste Kategorie.

Die Kanadier der zweiten Kategorie erklären, sie würden da nie hingehen, bewundern aber die Verrückten, die es tun. Die in der dritten Kategorie behaupten, die Arktis stehe auf der Wunschliste ihrer Urlaubsziele, gleich nach Paris, dem Buckingham Palace in London, den ägyptischen Pyramiden, Tante Georgina in Gloucestershire, nach Las Vegas, der Kreuzfahrt nach Costa Rica und den Tempeltänzerinnen in Bali. Dann hören sie, wie viel eine Reise in die Arktis kostet, und streichen sie von der Liste. Die vierte Kategorie besteht aus Kanadiern, die den Unterschied zwischen Antarktis und Arktis nicht kennen und auch nicht sicher sind, welches der Gebiete zu Kanada gehört.

Am häufigsten trifft man eine freundliche Gleichgültigkeit an. Das hindert aber die kanadische Nation nicht daran, sich völlig mit dem Norden zu identifizieren, als ob es ihr Shangri-La wäre. In ihrer Nationalhymne singen die Kanadier mit Inbrunst die Zeile: »The True North Strong and Free«, der wahre Norden stark und frei. Das klingt wirklich gut. Die Arktis ist wie ein Elixier fürs kanadische Selbstverständnis: Wir sind immer noch Pioniere, abgehärtet und durch nichts abzuschrecken, und außerdem sind wir dank der Arktis größer als die USA. Da nehmen wir auch in Kauf, dass fünfzig Prozent unserer Landfläche eisbedeckt sind.

Fast hätte ich sie vergessen, aber es gibt noch eine

fünfte Kategorie: eine winzige, verschworene Gruppe, nämlich jene Kanadier, die vom Arktis-Virus infiziert sind und nie mehr von ihr loskommen. In diese Kategorie schleichen sich manchmal Ausländer ein, die schon als Kinder von der Arktis träumten, die Bücher über arktische Expeditionen verschlungen haben (sie sind ein besonderer Genuss bei einer Zimmertemperatur von 25 Grad), und die es nicht erwarten können, einmal hinter einem Hundegespann durch die Eiswüste zu preschen. Außerdem möchten sie gerne mit gastfreundlichen Eskimos ein Stück Walfett essen (wobei sie nach dessen Verzehr meistens nie mehr davon träumen werden).

In der Arktis ist alles teuer, der Transport, die Unterkünfte, die Bekleidung und natürlich alle Esswaren, die eingeflogen werden müssen. Im Supermarkt von Iqaluit, wo ich einen Zwischenhalt einlege, schockieren mich die Preise. Ananas oder Orangensaft sind viermal teurer als in Vancouver. Auch die Mieten sind horrend: Man kann leicht zweitausend Euro für eine normale Wohnung zahlen. Die Regierung in Ottawa steuert zwar jährlich rund zehntausend Euro pro Person für die hohen Lebenshaltungskosten bei. Sonst könnte es sich kaum ein Mensch leisten, in der Arktis zu wohnen.

Connor und ich bekommen keine staatlichen Zuschüsse. Aber glücklicherweise gibt es Ozzy. Ozzy ist der Besitzer des South Camp Inn und holt uns vom Flughafen in Resolute ab. Er ist in Tansania aufgewachsen. Ja, wirklich, Tansania, Afrika. Als Mechaniker kam er nach Resolute Bay, lernte eine eingeborene Inuk-Frau kennen und lieben und blieb. Jetzt führt er ein Hotel für Leute auf Polarexpedition, Mineningenieure, Jäger – und Journalisten wie mich.

Seit über dreißig Jahren lebt Ozzy schon in Resolute, einer von wenigen Weißen unter rund zweihundert Eskimos.

Während der Fahrt muss er sich Connors Leid mit der Fotoausrüstung anhören, aber für Ozzy ist so etwas kein Drama. Natürlich haben Fotoapparate in dieser isolierten Gegend keine Priorität. Die Leute müssen zuerst etwas zu essen und ihre Medikamente bekommen, und dann erst wird Platz gemacht für Nichtigkeiten wie Stative und Fotokoffer.

»Wir haben noch zwei Tage Zeit, bis wir auf den Eisbrecher gehen«, sage ich. »Bis dann wird das Gepäck schon eintreffen.«

Woraufhin uns Ozzy informiert, dass auch schon mal eine Woche lang keine Flüge reinkommen, wenn das Wetter schlecht ist.

Connor sackt auf seinem Sitz zusammen. Danke, Ozzy, für diese Ermunterung. Aber eigentlich sollte ich es wissen: In der Arktis ist alles anders.

Das sehe ich am nächsten Morgen. Strahlende Sonne in Resolute Bay. Keine Spur von Eis. Kein Eis mitten in der Arktis! Als ob diese Siedlung nicht die zweitnördlichste der Welt wäre. Resolute liegt auf 74,43 Grad nördlicher Breite, nur 1687 Kilometer vom Nordpol entfernt. Aber das Wasser in der Bucht schwappt sanft an den Strand wie in einem Kurbad. Ich klettere auf einen der öden, steinigen Hügel über der Bucht. Auf den Hang hat jemand in riesigen, weißen Buchstaben »Resolute« gepinselt. Die Menschen hier könnten ja sonst glatt vergessen werden.

Die Sonne brennt von einem stahlblauen Himmel, wie im Juli anderswo auch. In meiner Faserpelzjacke ist mir richtig warm. So habe ich mir die Arktis eigentlich nicht vorgestellt – trotz der globalen Klimaerwärmung. Ich bin fast ein wenig enttäuscht. Aber es kann ja nur besser werden.

Ich kehre zum South Camp Inn zurück und suche Connor im Labyrinth der Räume, zwischen ausgestopften Wölfen, Moschusochsen und ausgebreitetem Expeditionsmaterial. Er ist nirgendwo anzutreffen.

Ich setze meine Anrufe bei der Fluggesellschaft fort, bis ich die Bestätigung erhalte, dass die Fotoausrüstung mitfliegt – falls nicht noch etwas Dringenderes dazwischenkommt.

Connor kehrt am Nachmittag zurück, mit einer Kamera auf der Brust.

»Was ist denn das?«, frage ich. »Ich dachte, du hättest keine Ausrüstung.«

»Eine Kamera habe ich immer bei mir, das ist doch selbstverständlich«, sagt mein Fotograf. »Aber für die Eisbären brauche ich mein Stativ und das Teleskop.«

Connor steht unter Druck. Alle Redakteure sind wild auf Eisbären. Keine Arktis-Geschichte ohne Eisbären. Kein Honorar ohne Eisbären. Wir sind nicht in der Arktis gewesen, wenn wir keine Eisbären gesehen haben.

»Ich war im Dorf und wollte ein paar Bilder von Eskimos machen«, berichtet Connor. »Die verlangen alle Geld von mir. Achtzig Dollar wollen sie für ein Bild!«

»Gute Geschäftsleute«, sage ich.

Connor widerspricht. »Das sind Zustände wie in Südamerika! Aber wir sind doch in Kanada. Ich dachte, in der Arktis sei die Welt noch in Ordnung.«

Ich kann mir ein Lächeln nicht verkneifen. »Warum denkst du das? Weil in der Arktis die Luft so rein ist und das Eis so unschuldig weiß?«

»Nein, weil wir in Kanada noch moralische Werte hochhalten«, sagt er.

Sein Weltbild geht glücklicherweise nicht ganz in die Brüche, denn am Abend kann er seine Ausrüstung in Empfang nehmen.

Ein Hubschrauber bringt uns anderntags auf den Eisbrecher, zusammen mit Erdbeeren, Spargel und Blumenkohl. Es ist der größte Eisbrecher der kanadischen Küstenwache, 120 Meter lang, 24 Meter breit und 11 441 Tonnen schwer (Superlative sind im Journalismus immer gut). Kaum haben wir das Schiff betreten, werden wir gleich ins Büro des Kapitäns geführt. Ein Mann wie ein Turm. Groß, schlank, mit einer ruhigen Autorität, außerdem freundlich, erfahren, souverän. Muss ich noch mehr sagen?

Der Kapitän erkundigt sich nach unseren Wünschen. Ich platze sofort damit heraus (bevor Connor seine Eisbären erwähnen kann): »Ich möchte unbedingt die Gräber der Franklin-Expedition auf der Beechey-Insel sehen.«

Der britische Admiral Sir John Franklin war 1845 mit 128 Männern aufgebrochen, um die legendäre Nordwestpassage zu finden. Es gelang ihm nicht: Er starb im Juni 1847. Skorbut, Hunger und Erschöpfung brachten die Überlebenden um, die ihre Schiffe verließen und versuchten, sich übers Eis wandernd zu retten.

Ich sehe die Augen des Kapitäns kurz aufleuchten, dennoch muss er mich gleich enttäuschen. Der Eisbrecher fährt nicht an der Insel Beechey vorbei, auf der die Gräber dreier Seeleute der unglückseligen Expedition zu sehen sind. Das liegt daran, dass es nicht nur *eine* Nordwestpassage, sondern mehrere Varianten gibt. Die Route ist nicht für alle Zeiten festgelegt, sie ändert sich je nach Lage des Eises und nach den Aufgaben, die der Eisbrecher durchführen muss. Also nichts mit Beechey.

Aber der Kapitän ist, das merke ich in den kommenden Tagen, im Grunde ein mit dem Arktis-Virus infizierter Romantiker. Er ist genauso begeistert von den Geschichten der frühen Entdecker und ihrem Scheitern wie ich. Auf dem Schiff hat er eigens dazu eine Bibliothek eingerichtet.

»Vielleicht Fort Ross«, sagt er sibyllinisch und spannt mich auf die Folter. Ich schmelze schneller als das Eis in Resolute Bay.

An diesem strahlenden Julitag nimmt der Eisbrecher Kurs auf das Labyrinth aus Fjorden und Inseln. Und ich suche meinen Weg im Labyrinth der fünf Stockwerke des Eisbrechers. Wo ist doch gleich wieder der Speisesaal? Und wo mein Zimmer? War der kleine Schiffsladen nicht auf der dritten Etage? Ich stolpere durch die Korridore, Treppen rauf und runter, durch schwere Stahltüren und enge Passagen. Glücklicherweise erbarmt sich meiner ab und zu ein Seebär und führt mich in vertraute Gefilde zurück. Connors Kajüte befindet sich ganz unten im Bauch des Schiffes, ohne Fenster, dafür mit viel Motorenlärm. Mein Quartier dagegen ist weiter oben, hat ein Fenster und ist deshalb hell und fast gemütlich. Ab der zweiten Nacht schläft mein Fotograf jedoch auf dem Sofa in der Bar, im Stockwerk unter der Offiziersbrücke. Er hat den offiziellen Vogelbeobachter des Eisbrechers beauftragt, ihn zu wecken, falls er einen Eisbären sieht.

Auf jedem Eisbrecher ist ein Ornithologe zu finden. Seine Aufgabe ist es, das Vorkommen von Vogelarten zu dokumentieren. Diese Leute müssen mit wenig

Schlaf auskommen, denn sonst könnten sie ja einen seltenen Vogel verpassen.

Der Vogelbeobachter auf unserem Eisbrecher ist ein Universitätsprofessor im Ruhestand, der nie schläft. Jedenfalls ist er immer auf Deck, wenn ich nach draußen gehe. Und immer schaut er durch den Feldstecher. Es ist ja auch die ganze Nacht hell. Armer Connor. Weit und breit kein Eisbär.

Noch vor dem Frühstück sitze ich an meinem Laptop und schreibe einen Eintrag für meinen Blog: »Der Eisbrecher umrundet die Somerset-Insel auf ihrer östlichen Seite. Hier ist das Wasser immer noch offen. Es scheint jenen Experten recht zu geben, die voraussagen, dass die Nordwestpassage bis in dreißig Jahren den Sommer über völlig eisfrei sein soll. Das würde die Route attraktiv für Öltanker und andere kommerzielle Schiffe machen, denn sie wäre rund siebentausend Seemeilen kürzer als die Fahrt durch den Panamakanal.«

Sabine Vilmar, die beste aller Ressortleiterinnen, schreibt eine E-Mail zurück: »Ich brauche etwas Aufregendes. Verfolgt der Eisbrecher ein amerikanisches U-Boot?« Jetzt müssen es also nicht nur Eisbären sein, sondern auch U-Boote.

Und ich darf den Leuten hier ja nicht mal politische Fragen stellen. Das musste ich vorher hoch und heilig versprechen.

Der Kapitän ist beschäftigt. So befrage ich die Seeleute über ihre Arbeit an Bord. Die Krankenschwester kehrt den Spieß aber um und fragt mich über meinen Gesundheitszustand aus. Es gibt auch noch siebzehn Wissenschaftler auf dem Schiff, Biologen, Physiker, Ozeanographen, Chemiker, Meteorologen und Virologen, alle auf der Suche nach Klimaveränderungen in der Arktis. Sie sehen müde aus, haben die ganze Nacht und auch am Tag Messstationen und Netze versenkt und wieder herausgeholt, Wasserproben in Eimern und Kanistern geschleppt und dann im Labor eingeordnet.

Die Wissenschaftler finden es nicht fair, dass die Journalisten immer Ausflüge machen dürfen, während sie auf dem Schiff bleiben müssen.

Heute kreist Connor mit dem Hubschrauber über dem Eisbrecher. Er hängt sich mit seiner Kamera weit aus der Türöffnung, lediglich ein Netz verhindert, dass er von dort oben ins Wasser fällt. Am nächsten Morgen umkreisen wir den Eisbrecher in einem Luftkissenboot.

Ich informiere Sabine Vilmar, dass der Eisbrecher der Küstenwache unbewaffnet ist, abgesehen von Jagdgewehren für die Landausflüge, falls ein Eisbär auftaucht. Und überhaupt seien die Kanadier nicht besonders gut auf Kriegseinsätze vorbereitet, sollte eine andere Nation Teile der Arktis besetzen. Ist auch schwierig, da die kanadische Arktis etwa doppelt so groß wie Europa ist. Und dazu bekanntlich saukalt.

Kanadas Marine besitzt keine atombetriebenen Eisbrecher wie die russische, die auch im Winter durchs Eis pflügen können. Die Eisbrecher der kanadischen Küstenwache sind nur von Mai bis September im Einsatz. Und die neuen Modelle, die derzeit für die kanadische Armee gebaut werden, können auch nur in einem Meter dickem Eis operieren.

Sabine Vilmar ist nicht sonderlich beeindruckt. »Wir brauchen Action«, sagt sie. »Irgendeine Konfrontation, das wäre schön.«

»Ich tue mein Bestes«, antworte ich. In meinem Herzen weiß ich jedoch, dass Konfrontationen, kombiniert mit Kanada, so unwahrscheinlich sind wie Seehunde in der Wüste.

Meine Stimmung bessert sich in der Bar, wo sich die Mannschaft jeden Abend trifft. Die Drinks kosten nur einen Dollar, so kann selbst ich mit meinem begrenzten Spesenkonto meinen Gastgebern eine Runde spendieren.

»Ich brauche ein feindliches U-Boot«, sage ich zu einem Funktionär aus der Hauptstadt Ottawa, der ebenfalls als Besucher auf dem Schiff mitfährt.

Der Mann betrachtet mich mitleidig und erzählt mir dann etwas ganz Spannendes, das ich gleich aufschreiben will. Aber er winkt unmissverständlich ab: »Das ist alles off-the-record!«, sagt er. Ich lasse meinen Kugelschreiber sinken.

Natürlich. Die besten Informationen sind immer off-the-record.

Am nächsten Tag wird ein Traum wahr: Der Hubschrauber setzt Connor und mich, den Funktionär, die beflissene Krankenschwester und zwei Küstenwächter mit Jagdflinten in einer einsamen Bucht auf Somerset Island ab. Dann entschwindet er. Ich kann es nicht glauben. Ich setze meinen Fuß tatsächlich auf arktischen Boden! Nicht zu vergleichen mit Resolute Bay, wo jeder hinfliegen kann. Hier in Fort Ross haben bis 1946 Menschen gelebt, davon zeugen zwei Gebäude der einst mächtigen Handelsgesellschaft Hudson's Bay Company.

Ich öffne die Tür zum Haus des Verwalters, das der arktischen Kälte trotzt. Durch zerbrochene Fensterscheiben zieht der Wind, Möbel und Tapeten vermodern, der Holzofen verrostet. Etwas weiter entfernt steht der Lagerschuppen, 1937 erbaut.

Connor entdeckt alte Gräber von Unbekannten,

die Gebeine notdürftig mit Steinen bedeckt. Auf einer Anhöhe steht eine Gedenktafel, die die Nachfahren des arktischen Entdeckers Leopold McClintock errichtet haben. Er war der Mann, der 1859 in einem Steinhaufen auf der King-William-Insel eine schriftliche Botschaft der verschollenen Expedition des britischen Admirals Sir John Franklin entdeckte. Die Botschaft bestätigte frühere mündliche Berichte der Inuit über Franklins Tod. Nach seinen im Eis gefangenen Schiffen *Erebus* und *Terror* wird heute noch gesucht. Die Inuit erzählten auch von Kannibalismus unter Franklins verhungernden Leuten, was das britische Establishment natürlich nicht wahrhaben wollte.

Franklins Grab wurde nie gefunden, aber ich finde die Gräber hier in Fort Ross schon unheimlich genug. Unsere Wächter halten Ausschau nach Eisbären, aber es gibt kein Leben weit und breit. Oder doch? Eine Hummel! Sie bestäubt violette, gelbe und weiße Blumen, die sich ans Geröll klammern.

Regen setzt ein. Mir wird langsam kalt, trotz meiner Thermo-Unterwäsche und sechs Kleiderschichten. Wir sind nun schon fünf Stunden hier, und vom Hubschrauber keine Spur. Meinen Schokoriegel habe ich schon verzehrt. Der Magen regt sich.

Mir kommt in den Sinn, dass diese Hudson's-Bay-Filiale aufgegeben wurde, weil die Versorgungsschiffe mit den Lebensmitteln wegen schweren Eises nicht durchkamen. In manchen Jahren drohten die Menschen hier zu verhungern.

Unsere Gruppe sieht jetzt ziemlich verloren aus. Meine Augen suchen immer wieder den Himmel ab. Endlich hören wir das vertraute Dröhnen näherkommen.

An diesem Abend finde ich die Küche des Eisbrechers noch spektakulärer als bisher, und ich leiste mir ein großes Stück Schokoladekuchen zum Nachtisch.

Nach dem Essen nimmt sich der Kapitän Zeit, mir einige Bücher der Schiffsbibliothek ans Herz zu legen, etwa »Der arktische Gral« von Pierre Berton. Ich erzähle ihm von Büchern, die ich gelesen habe, zum Beispiel »Die Schrecken des Eises und der Finsternis« von Christoph Ransmayr, über die österreichische Weyprecht-Expedition von 1872–74. Ich fühle mich sehr geehrt durch die Präsenz des Kapitäns.

Ich berichte Vera per E-Mail von meinen Erlebnissen, was ein großer Fehler ist. Sie reagiert sofort: »Das glaub ich dir gern, dass es dir auf einem Schiff mit lauter Männern gefällt, die dir nicht entfliehen können. Und natürlich hast du dein Auge auf das Alpha-Männchen geworfen.«

Welche Frechheiten man sich von seiner älteren Schwester gefallen lassen muss! Das geht nun wirklich zu weit. Ich hämmere auf die Tasten des Computers.

»Liebe Schwester, erstens gibt es auch Frauen auf dem Eisbrecher, die Krankenschwester, der Steward, fünf Wissenschaftlerinnen, und im Maschinenraum eine junge, hübsche Ingenieurin. Ihr Mann arbeitet auf einem anderen Eisbrecher. Zweitens herrschen hier kanadische Verhältnisse. Techtelmechtel sind im Dienst am Vaterland nicht erlaubt. In Afghanistan wurde sogar ein kanadischer Oberbefehlshaber entlassen, weil er sich mit einem weiblichen Armeemitglied vergnügte. Drittens habe ich in meinem Beruf fast immer mit Führungspersönlichkeiten zu tun (den Ausdruck Alpha-Männchen verbanne ich hiermit ins Tierreich). Viertens sind deine Äußerungen typisch für die eskalierenden Phantasien einer seit zwölf Jahren verheirateten Frau.«

Darauf antwortet Vera mit Schweigen.

Auf dem Schiff ist es dafür umso lauter. Wir stecken nun mitten im Eis. Der Eisbrecher rammt eine dicke Schicht. Die Decke bricht auseinander, gigantische Blöcke richten sich krachend auf, schieben sich übereinander und fallen mit Getöse zusammen. Tagsüber, auf dem Deck, ist es ein phantastisches Spektakel. Nachts falle ich fast aus dem Bett, wenn das Schiff von Stößen wie bei einem Erdbeben erschüttert wird. Das Eis schrammt den Schiffsrumpf entlang. Ohrenbetäubend. Das Kajütenbett wankt, überall dröhnt und zittert und knirscht und scheppert es. Was ich nicht befestigt habe, fällt auf den Boden. Die Wachsstöpsel in meinen Ohren helfen nicht gerade viel. Beim Frühstück haben alle dunkle Augenringe.

Plötzlich gellt es durch die Lautsprecher: »Eisbär! Eisbär!« Connor verschwindet so schnell wie eine Rakete. Ich sehe ihn erst auf Deck wieder, vor einem riesigen Objektiv. Er strahlt. So sehr ich auch meine Augen anstrenge, ich sehe keinen Eisbär. Connor lässt mich durch die Linse gucken. Tatsächlich, ein gelblicher Flecken im ewigen Eis. Connor macht aus dem Flecken ein Gemälde.

»Die Eisbärbilder sind toll«, mailt Sabine Vilmar. »Aber good news is no news. Wie steht es mit dem Kampf um die Arktis?«

Meine Antwort macht sie nicht glücklich. Es ist die offizielle Sprachregelung zweier Regierungen: »Die Amerikaner und die Kanadier sind sich einig, dass sie sich in der Frage, wem die arktischen Gewässer gehören, nicht einig sind.«

»Warum können die sich nicht ein wenig heftiger

streiten?«, schreibt meine Ressortleiterin sarkastisch zurück.

»Weil die Kanadier zu nett sind«, antworte ich. Und füge hinzu: »Noch etwas: Bitte achten Sie unbedingt auf die korrekte Schreibweise von Iqaluit, der Hauptstadt von Nunavut. Die Regierungsleute in Ottawa schrieben einmal in einer Presseerklärung *Iqualuit*, was aber so viel wie ›unabgewischter Po‹ bedeutet.«

Jetzt straft mich auch Sabine Vilmar mit Schweigen. Eisiges Schweigen, sozusagen. Aber der Kapitän spricht dafür umso mehr mit mir, und ich verbringe viel Zeit auf der Brücke, der Kommandozentrale des Eisbrechers.

Nach sieben Tagen erreichen wir wieder offenes Wasser. Die Häuser des Inuit-Dorfes Kugluktuk am Coronation-Golf leuchten in der Sonne.

Der Kapitän bereitet mir zum Abschied eigenhändig einen Cappuccino zu. Da soll einer sagen, Kanadier seien nicht charmant.

Jetzt habe ich vor meinem Rückflug nach Vancouver einen Tag Zeit, die Inuit kennenzulernen und einen Ausflug zu den Wasserfällen zu machen, wo Indianer, die den britischen Entdecker Samuel Hearn bei seiner Erforschung des Coppermine-Flusses begleitet hatten, 1771 eine Gruppe von Inuit niedermetzelten.

Kaum bin ich in der Pension von Kugluktuk angekommen, ruft mich Sabine Vilmar an. Ihre Stimme klingt hocherfreut. »Die Russen haben soeben ihre Flagge auf dem Meeresboden beim Nordpol verankert. Sie wollen den Nordpol für sich und alle Bodenschätze dort auch. Ein besseres Timing könnten wir gar nicht haben. Schreiben Sie Ihren Bericht heute fertig, wir heben ihn morgen ins Blatt!«

»Am geographischen oder magnetischen Nordpol?«, frage ich noch, aber das hört sie schon nicht mehr.

Den Rest des Tages schreibe ich mir die Finger wund. Als ich die Geschichte nach Deutschland sende, bin ich erschöpft. Aber darauf nimmt Vera mit ihrer E-Mail keine Rücksicht: »Dieser Kapitän sieht aber wirklich gut aus! Ich hab sein Bild im Internet gesehen. Kein Wunder, dass du dich in ihn verguckt hast.«

12

Knall auf Fall weg

Der Knall ist so laut, dass ich fast vom Bürostuhl falle. Ich denke: Ein Lastwagen ist in unseren Wohnblock gerast!

Dann fängt mein Drucker an zu vibrieren. Die Deckenlampe schwingt hin und her. Mein Faxgerät verschiebt sich wie von magischer Hand gegen den Rand des Arbeitstisches.

Alles rasselt und zittert in meinem Büro.

Endlich fällt bei mir der Groschen. Das ist ein Erdbeben!

Bevor ich mir überlegen kann, was genau man in solchen Situationen tun muss, ist der Spuk vorbei.

Es ist unheimlich still.

Ich stürze zur Wohnungstür und spähe in den Korridor. Irgendwie habe ich die Erwartung, dass sich nun überall Türen öffnen und aufgeregte Mieter erscheinen müssten, um sich mit mir auszutauschen.

Aber nichts bewegt sich. Gespenstisch. Ich laufe auf den Balkon, schaue zum Hauseingang hinunter. Warum rennt niemand schreiend ins Freie? Warum bricht auf der Straße keine Panik aus? Ich muss meine Freundinnen anrufen. Aber ich erreiche nur Anrufbeantworter.

Verwirrt hänge ich auf. Was ist nur los? Was machen die andern? Habe ich nur geträumt? Leide ich unter Halluzinationen?

Ich schalte den Fernseher ein, und schon bestätigt eine Eilmeldung meinen Verdacht: Erdbeben in Vancouver, Stufe drei auf der Richterskala.

Da klingelt das Telefon. Der Redakteur einer Zeitung möchte einen Erfahrungsbericht. Er hat auf dem Agenturticker vom Erdbeben gelesen. »In Seattle ist alles viel schlimmer«, sagt er. Ich fühle mich fast verantwortlich, dass es in Vancouver offenbar nicht so dramatisch ist.

»Sind Sie nicht froh, dass ich nicht unter einem Haufen Schutt begraben liege und noch für Sie arbeiten kann?«, sage ich.

Die Ironie geht am Redakteur vorbei. »Wie weit ist Seattle von Vancouver entfernt?«, fragt er. »Können Sie da mit dem Auto hinfahren?«

»Könnte ich, aber mit der Zeitverschiebung von neun Stunden zu Europa reicht es heute nicht mehr für die morgige Ausgabe.«

Als sich herausstellt, dass es in Seattle keine Toten gibt, findet der Redakteur die Reise auch nicht mehr so wichtig. Die Bedeutung eines Unglücks ermisst sich fast immer in der Anzahl toter Menschen. So haben die Leute in Seattle Glück und ich auch.

Aber von diesem Tag an ist mir mehr denn je bewusst, dass Vancouver mitten in einer gefährlichen Erdbebenzone liegt. Die Glastürme rundherum kommen mir plötzlich sehr fragil vor. Ich lese Informationen in der Zeitung, die mich beunruhigen. Eines von Vancouvers Krankenhäusern ist aus Backsteinen erbaut. Es dürfte nicht mal ein mittelstarkes Erdbeben überleben. Geschweige denn THE BIG ONE, das schwere Beben, das alle Experten voraussagen. Es sei keine Frage, ob es eintreffe, sagen sie übereinstimmend. Die Frage sei nur *wann*. Höchstwahrscheinlich während der nächsten fünfzig Jahre. Zum Beispiel morgen. Oder übermorgen. An den Tsunami wage ich schon gar nicht zu denken.

Ich fasse lauter gute Vorsätze. Ich werde mein Büchergestell an die Wand nageln und die Küchenschränke mit Sicherheitsschlössern versehen. Ich werde mir einen Lebensmittelvorrat anlegen und eine Garnitur saubere Kleider in einer Plastiktonne bereithalten. Ich werde einen Erdbeben-Notfallkoffer kaufen und einen Trinkwasservorrat für eine Woche. Aber mein guter Wille hält nicht lange an. Ich nenne zwar einen gasbetriebenen Camping-Kocher und ein batteriebetriebenes Radiogerät mein Eigen. Ich besitze auch Notfallkerzen, Zündhölzer und einige Dosen Fertiggerichte, die ich aber eigentlich gar nicht mag.

Wasserflaschen kaufe ich regelmäßig. Aber werde ich Zugang zu ihnen haben, wenn alles in Trümmern liegt? Vor allem habe ich ein schlechtes Gewissen, dass ich nicht besser auf den Ernstfall vorbereitet bin.

Meine Freunde in Vancouver lachen nur über meine Sorgen. Oder sie hören desinteressiert weg. »Du kannst doch nicht hier leben und ständig an ein Erdbeben denken, das macht dich doch nur verrückt«, sagen sie. Und dann kommen sie mit dem schlagenden Argument: »Siehst du etwa die Häuserpreise fallen deswegen?«

Nein, im Gegenteil. Immobilien in Vancouver werden immer teurer. Auch die Mieten sind hoch. Deshalb teilen sich viele Leute die Wohnung mit Untermietern.

Meine Schwester Vera kommt mich besuchen, sie hat sich von der Erdbeben-Berichterstattung nicht abschrecken lassen.

»Natürlich fühle ich mich sicher«, sagt sie vor ihrer Abreise aus Frankfurt, »jetzt hat das Beben ja stattgefunden, und so schnell wird es nicht wieder eins geben.«

Ich lasse sie in diesem Glauben, und kaum ist sie hier gelandet, bricht ihre Begeisterung durch.

»Das ist ja toll, wie zentral du wohnst«, ruft sie. »Die ganze Innenstadt ist in Reichweite. Von hier aus kann man überallhin zu Fuß laufen – und den Rest erreicht man mit dem Fahrrad!«

In der zweiten Woche ihres Besuchs schrecken wir um drei Uhr morgens auf. Was ist denn das? Revolverschüsse, Explosionen, Sirenen, quietschende Reifen.

Wir öffnen die Balkonfenster. Unsere Straße ist von Scheinwerfern hell erleuchtet.

Ich stöhne. »Nicht schon wieder.«

Vera kann nicht glauben, was sie sieht. »Was ist denn hier los? Ist das die Mafia?«

»Nein, Filmaufnahmen. In unserer Straße wird ständig gefilmt. Wahrscheinlich, weil es hier wie in einer amerikanischen Kleinstadt aussieht.«

Vera sieht mich verständnislos an. Ich erkläre ihr geduldig, dass in Vancouver viele amerikanische Fernsehserien gedreht werden. »In einer Serie haben sie aus dem Kunstmuseum von Vancouver ein Gerichtsgebäude in Chicago gemacht.«

Jetzt erinnere ich mich an den Anschlag im Aufzug. *Liebe Anwohner, wir bitten Sie um Geduld ... verzeihen Sie die vorübergehende Ruhestörung ... wir danken für Ihr Verständnis ... blablabla.*

Vera findet das nun doch neu und aufregend und bleibt noch eine Weile am Fenster hängen.

Zwei Nächte später bebt es erneut in meiner Wohnung. Aber diesmal sind es nicht tektonische Platten. Die Mieter über mir feiern eine Party.

Es sind Studenten aus asiatischen Ländern, die in Vancouver irgendeine Sprachschule besuchen und zum ersten Mal fern der elterlichen Aufsicht leben. Kein Wunder, dass sie außer Rand und Band geraten. Die ganze Innenstadt kennt dieses Phänomen. Werden die Sprachschüler aus dem Haus geworfen, quartieren sie sich einfach irgendwo anders ein.

Die nächste Ruhestörung kommt zwei Tage später vom Haus gegenüber. Dort wird auf dem Balkon gefeiert.

»Das hält ja kein Mensch auf Dauer aus«, sagt Vera. »Gibt es hier keine Hausordnung?«

Ich seufze. »Vancouver ist für viele eine Durchgangsstadt, Vera. Denen ist die Hausordnung egal. Leute kommen und gehen.«

Auch Vera geht schließlich, aber vorher verbringen wir noch einige schöne Tage am Wasser. Wir schwimmen im Pazifik, von einem Strand im Herzen der City aus, nur zehn Gehminuten von meinem Wohnblock entfernt.

»So viele Sandstrände, mitten in der Stadt«, schwärmt Vera. »Ich komme mir nicht wie in Kanada vor, sondern wie am Mittelmeer!«

Die Welt ist für meine Schwester wieder in Ordnung. Aber für mich nicht. Denn in meinem Bad tropft es erneut durch die Decke. Wieder ein Leck in einer alten Wasserleitung.

»Ich muss umziehen«, sage ich zu Tina, die ich beim Haus des Ruderclubs am Eingang zum Stanley Park treffe. Tina hat mich überredet, rudern zu lernen.

»Ich suche mir was anderes«, sage ich.

Tina schaut ernst. »Hoffentlich kommst du nicht vom Regen in die Traufe.«

»Wie meinst du das?«

»Bevor du einen Vertrag unterschreibst, prüf zuerst nach, ob es Bettwanzen im Haus gibt.«

»Was? Bettwanzen? Ich dachte, die gibt es nur in verwahrlosten Stadtteilen? Und in Pensionen für Rucksacktouristen.«

»I wo. Die gibt es selbst in den besten Hotels. Das hat mit runtergekommen nichts zu tun. Bettwanzen werden mit Reisekoffern und Kleidern eingeschleppt. Das kann uns allen passieren.«

Ich schaudere. Da sind mir selbst Spinnen lieber.

»Und wenn du sie mal hast«, fährt Tina unerbittlich fort, »ist es sehr, sehr schwer, sie loszuwerden.«

»Du meine Güte! Gibt es die etwa in meinem Wohnblock?«

»Ich glaube nicht. Wenigstens hab ich deine Adresse nicht auf der Webseite gesehen, wo man die befallenen Häuser nachschauen kann.«

Tina sieht mein entsetztes Gesicht und lacht. »Du brauchst nicht gleich in Panik verfallen«, sagt sie, »aber Vorsicht ist angebracht.«

In dieser Nacht träume ich von Bettwanzen. Ich hätte nichts dagegen gehabt, von Partylärm aus dem Alptraum aufgeweckt zu werden, aber diesmal bleibt natürlich alles ruhig.

Gudrun ist meine Rettung. Sie ist eine kanadische Bekannte mit deutschen Wurzeln, die meine Artikel im Internet liest und sich gern darüber austauscht. Sie lädt mich in ihr Haus auf dem Land ein. Ich fahre nach Horseshoe Bay, wo ich eine Fähre besteige, die mich in weniger als einer Stunde zu einem nördlicheren Küstenabschnitt bringt. Gudruns Haus liegt mitten in einem riesigen Grundstück, das sie mit Katzen, Hunden, Hühnern, Pferden und einem Schwein teilt. Ihr Mann Curt ist Landvermesser und oft unterwegs.

Wir schwimmen im Pazifik (ich kann es nicht fassen: der Strand ist fast menschenleer!) und sitzen dann auf der Veranda im Schatten hoher Tannen.

»Es ist so friedlich hier«, seufze ich entspannt. »Und so ruhig!«

»Die richtige Umgebung, um dein Buch zu schreiben, findest du nicht?«, sagt Gudrun.

Ja, das Buch, das ich schon längst schreiben möchte. In meiner Wohnung werde ich ständig abgelenkt. Ich komme ins Träumen. 365 Nächte ohne Autoalarmanlagen, Polizeisirenen, ohne das ständige Summen des Aufzugs und nächtliche Duschgeräusche aus dem Bad des Nachbarn.

»Du musst ja nicht ewig hier leben«, sagt Gudrun. »Aber so ein Jahr auf dem Land würde dir sicher guttun.«

Ein Jahr, das könnte ich überstehen. Und im schlimmsten Fall ist Vancouver ja so nah.

Aber selbst, als wieder eine Mieterhöhung im Briefkasten liegt, zögere ich noch.

Erst Ohio gibt den Ausschlag. Ohio ist ein Kater, den meine Freundin Shirley ins Tierheim der Gesellschaft zur Bekämpfung von Grausamkeit an Tieren bringen will. Ich begleite sie.

»Ohio beißt mich und pisst auf mein Sofa«, sagt sie. »Ich hätte es besser wissen sollen. Schon die ersten Besitzer haben ihn wegen Verhaltensstörungen zurückgebracht.«

»Was? Er wird schon zum zweiten Mal zurückgebracht?« Ich sehe die Eisenkäfige im Tierheim mit all den unerwünschten Katzen drin. Ohio miaut kläglich in seinem Tragekorb. Ein junger Kater voller Energie, die er in einer engen Stadtwohnung nicht loswerden kann. Shirley arbeitet den ganzen Tag im Büro, und Ohio ist allein. Natürlich macht er da Probleme.

»Ich nehme ihn«, sage ich spontan.

Bevor Shirley sich fassen kann, packe ich den Korb und laufe Richtung Ausgang.

Ich kündige die Wohnung. Eine junge Asiatin schaut sich in Begleitung ihrer Eltern die Räumlichkeiten an. Ich beantworte eine Stunde lang einen ganzen Fragenkatalog. Drei Tage später kommt die junge Frau mit vier weiblichen Verwandten wieder, »Meine Tanten«, sagt sie. Die Fenster werden bestimmt ein Dutzend Mal ausgemessen. Eine Woche darauf ist die neue Mieterin wieder da, diesmal mit einigen Männern. »Mein Onkel, Cousin, wieder Onkel, Bruder, Vater«, sagt sie.

Jetzt werden unter viel Aufwand die Zimmer für die Möbel vermessen.

Danach dauert es nicht lange, und die junge Asiatin steht mit einer Gruppe gleichaltriger Freundinnen vor der Tür. »Sie möchten die Wohnung sehen«, sagt sie.

Meine Geduld ist erschöpft. Ich rufe die Hausverwaltung an. »Keine Besuche mehr«, fordere ich.

Die neue Mieterin gibt nicht auf. »Nur noch meine Großmutter«, sagt sie einige Tage später.

Von da an spähe ich durch den Türspion und öffne einfach nicht mehr.

An einem bedeckten Spätsommertag brechen Ohio und ich in ein neues Abenteuer auf.

»Ich freue mich so«, schreibe ich Vera in einer E-

Mail. »Wir beide hegen den Traum von Mäusen, Ohio von lebendigen und ich von solchen auf meinem Bankkonto, wenn mein Buch veröffentlicht wird.«

»Mäuse?«, kommt Veras Antwort zurück. »Ich dachte, du träumst von Muskeln und Männern.«

13

If you can't beat them, join them

Niemand kann sagen, ich sei nicht sehenden Auges in Eagle Bay gelandet. Wenn sich ein Dorf stolz »Strandgut-Nation« nennt, kann man Hugo-Boss-Taschen und Seidenstrümpfe getrost einmotten. Und alle Weltstadt-Allüren dazu.

Hier leben alte Hippies, Reiki-Masseure, ehemalige Vietnam-Deserteure aus Amerika, Marihuana-Pflanzer und reiche Zahnärzte im Ruhestand friedlich zusammen. Das heißt, eigentlich nicht so nahe zusammen – die Pflanzer verstecken sich im Busch und die Zahnärzte in ihrer Villa mit Meersicht. Da muss es doch auch Platz für eine lernfähige Europäerin geben. Nicht in der Villa und nicht im Busch, aber in einem von hohen Tannen umgebenen Haus, mit einer großen Wiese davor und einer Holzterrasse.

»Diesmal wird alles anders«, schreibe ich meiner Schwester Vera in einer E-Mail. »Ich werde beim Sommerfest mitfiebern, wenn im Hafen die Holzfäller auf schwimmenden Baumstämmen um die Wette balancieren. Ich werde kreischen, wenn einer ins Wasser fällt. Ich werde beim Dorfumzug mitlaufen – wenn's sein muss mit einem bunten Reifen, als Mitglied des Hula-Hoop-Clubs von Eagle Bay. Ich werde im Juli mit den Einheimischen das Mandala auf dem Parkplatz am Meer malen, auch wenn mich Kinder mit Farbe bespritzen. Ich werde mit den Esoterikern zur

Sommersonnenwende am Strand die große Mutter Erde anrufen. Ich werde hier mein Glück finden. Eagle Bay, hier bin ich!«

»Der Weg zur Hölle ist mit guten Vorsätzen gepflastert«, schreibt Vera zurück. »Was um Himmels willen ist ein Mandala?«

Ich befinde mich aber überhaupt nicht auf dem Weg zur Hölle, sondern im Autobus ins nächste Dorf Eddie's Harbour. Eine wichtige Erkenntnis habe ich bereits verinnerlicht: Bei Kanadiern, die auf dem Land wohnen, ist die Wertschätzung für öffentliche Verkehrsmittel sehr gering. Und die Wertschätzung für jene Mitmenschen, die damit fahren müssen, noch geringer. »Loser Cruiser« (was man mit »Nieten-Bummler« übersetzen könnte) nennen die einheimischen Autofahrer den Linienbus. Das hat mir mein Nachbar Michael, ein Lehrer im Ruhestand, so schonend wie möglich mitgeteilt.

Ein richtiger Kerl besitzt ein eigenes Auto. Und ein richtiges Weib genauso. Es ist alles eine Statusfrage.

»Ich suche einen kleinen Japaner«, sage ich zum Verkäufer von Hot Deal Cars, der sich mir nähert, als ich vor den Gebrauchtwagen stehe.

»Ja«, sagt der Verkäufer.

»Mit Vorderradantrieb«, sage ich.

»Natürlich«, sagt der Verkäufer.

»Und benzinsparend.«

»Wir haben im Moment keinen Japaner«, sagt der Verkäufer, »aber das kann sich morgen schon ändern. Geben Sie mir Ihren Namen und die Telefonnummer und ich melde mich bei Ihnen.«

Das tut er tatsächlich. Bereits nach zwei Tagen klopft es an der Tür (eine Klingel gibt es in meinem Haus nicht). Es ist neun Uhr morgens. Der Autoverkäufer schwingt einen Schlüssel vor meinen Augen hin und her.

»Ich habe einen Wagen für Sie«, sagt er.

Ich schaue an ihm vorbei auf den Abstellplatz unter den Kiefern. In all dem Grün schimmert es knallrot.

Ich schüttle den Kopf. »Das ist ein Pick-up-Truck«, sage ich. »Ich will keinen Pick-up.«

»Er hat nur neunzigtausend Kilometer auf dem Buckel, und sein einziger Besitzer hat ihn behandelt wie ein Haustier.«

»Aber ich will Vorderradantrieb.«

»Kommen Sie, drehen wir eine Proberunde, Sie werden begeistert sein.«

Ich folge ihm widerstrebend. Es ist ein Ford, kein Japaner.

Als ich am Lenkrad sitze, weiß ich, warum er mir das Fahrzeug andrehen will. Hier fahren alle ein Fahrzeug mit Automatik. Wer eine Gangschaltung beherrscht, ist entweder aus Europa oder exzentrisch.

»Woher wissen Sie eigentlich, wo ich wohne?«, frage ich und starte den Motor.

»Meine Frau kennt Rosa, und Rosa kennt Charly White, der den Leuten das Haus verkauft hat, in dem Sie zur Miete wohnen, und Charly hat während der Auktion der Krebsstiftung vor einer Woche ein Bild von Alison Kratheimer gekauft, und die hat es von Michael gehört.«

Mein Kopf registriert die Information: Ich lebe jetzt in der Welt des Buschtelefons.

Wir fahren die Pilgrim-Straße zur Beach Avenue hinunter. Die Sonne scheint warm, ein leichter Wind bewegt die Tannenwipfel, der Pazifik funkelt wie ein Diamant. (Also eigentlich ist es nicht der Pazifik selbst, sondern nur eine Meeresstraße namens Strait of Georgia, aber wer will denn so pingelig sein.) Der Pick-up schlängelt sich an bunten Holzhäusern vorbei, überholt Radfahrer, Jogger und Mütter mit Kinderwagen. Mein Autoverkäufer redet unablässig.

»Sie haben doch einen Rasenmäher«, sagt er. »Wie wollen Sie ihn in einem kleinen Japaner zur Reparatur bringen? Wie transportieren Sie das Holz für das Kaminfeuer? Oder den Pferdemist für die Blumenkästen? Wenn Sie reisen, können Sie hinten ein Klappbett reinschieben und sparen sich ein Hotel. Ich mache das schon lange. So praktisch. Ein Truck gehört doch einfach dazu. Diesen hier können Sie nicht umbringen. Der hat nur das Nötigste. Keine Elektronik, keine Probleme. Und jeder Mechaniker hier kann einen Ford reparieren. Ersatzteile hat auch jeder. Da brauchen Sie nicht wochenlang zu warten.«

Als wir an dem kleinen Supermarkt vorbeifahren, an der Bibliothek und dem Reformladen, hat er mich schon halb in der Tasche. Bei der Grundschule frage ich ihn vorsichtshalber nach dem Preis, und bei der Gemeindehalle, die von außen wie ein Heuschober aussieht, kann ich mir ein Leben ohne Pick-up kaum mehr vorstellen.

Er ist eine kanadische Institution, sage ich mir. Fast wie das Kanu und die Kettensäge.

Zwei Stunden später parke ich meinen roten Ford Pick-up vor dem Supermarkt, der sich hier General Store nennt, aber wie ein Tante-Emma-Laden wirkt. Mein Truck kommt mir riesig vor, und ich fahre ihn vorsichtig wie einen Bestattungswagen. Aber in Kanada, dem zweitgrößten Land der Erde, ist alles relativ, vor allem der Begriff riesig.

Ein Ungetüm erscheint rechts von mir. Ein Truck,

so breit wie ein Doppelbett. Dieses Gefährt könnte glatt aus der Panzerdivision der kanadischen Armee stammen. Die Reifen sind so hoch, dass man eine Leiter zum Aussteigen braucht. Nein, korrigiere ich mich, als ich den Bauchumfang des Fahrers sehe, eine elektrische Rolltreppe. So viel Bodenfreiheit braucht nicht einmal ein Holzfäller in der Wildnis. Alles an diesem Truck schreit: »Ich bin der König der Straße, keiner kann's mit mir aufnehmen!« Das würde mir auch gar nicht in den Sinn kommen, angesichts der Kettensäge auf der Ladefläche.

Ich stelle mich vors Schwarze Brett, der Litfaßsäule von Eagle Bay. Es hängt gleich neben dem Ladeneingang. Hier wird alles angekündigt: der neue Bauchtanz-Kurs, die Sonntagstour der Waldschützer in die abgeholzten Gebiete, die jüngste Vermisstenmeldung und die Warnung vor Kojoten an der Witham Road: »Um 2 Uhr 30 wurde ein Kojote mit einer Katze im Maul gesehen. Lassen Sie Ihre Haustiere nicht nach draußen.«

Die meisten Anzeigen sind handgeschrieben, auch die folgende: »Hallo, falls ihr wie die meisten Leute seid, dann arbeitet ihr nicht gern. Ich aber mache alles, wirklich alles. Ernsthaft, ich bade eure Katze, falls nötig.« Unterzeichnet mit John, der sich als ehemaliger Pfadfinder ausweist. Die Kojoten werden's John danken. Gebadete Katzen schmecken sicher noch besser.

Ich lächle einen älteren Mann an, einen typischen Eagle-Bay-Verschnitt: schulterlanges weißes Haar und Shorts über dünnen Beinen. Er nagelt gerade seine Visitenkarte ans Brett. Ich schaue ihm über die Schulter. »Wade Hilps. Babysitter, Messerschleifer, Lebensberater.« Bevor ich ihn um eine Karte bitten kann, ist er um die Ecke verschwunden. Die Versuchung ist groß: Soll ich seine Anzeige vom Brett klauen? Das glaubt mir sonst in Deutschland kein Mensch. Ich verschiebe die Entscheidung auf später, tauche in den Laden und kaufe mir das letzte Exemplar des *Globe and Mail*. Der wird hier nicht in den Garten geschmissen wie die *Vancouver Sun* und die *National Post*.

An der Ladentheke passiert es. Ich zähle das Kleingeld auf Deutsch. Für alle hörbar. Manche Leute träumen auf Englisch, aber mit deutschen Untertiteln. Das ist verzeihlich. Sich beim Münzenzählen zu vergessen, wenn ein mit Bier beladener Truckfahrer hinter einem steht, ist verhängnisvoll.

»Das klingt wie Mongolisch«, sagt eine heisere Stimme. Lautes Lachen.

»Nein, das ist Deutsch«, sagt das Mädchen mit dem Ring in der Nase, das mich bedient. »Ich kann in fünf Sprachen bis zwanzig zählen, weiter reicht es bei mir nicht.«

»Deutsch«, sagt der Mann hinter mir. »Es gibt einige Deutsche hier. Ganz leicht zu finden sind sie. Überall, wo's einen Zaun um das Grundstück gibt, wohnen bestimmt Deutsche. Die fühlen sich erst hinter ein paar Holzlatten sicher.« Dröhnendes Lachen.

Ich schiebe das Geld über den Tisch und klemme die Zeitung unter den Arm. Aber der Truckfahrer lässt nicht locker.

»Sandy«, sagt er zur Kassiererin, »gib ihr einen Jägermeister, auf meine Rechnung.«

Ich verstehe nicht, was er meint, bis mir die junge Frau eine kleine grüne Flasche in die Hand drückt. Ich drehe mich um und blicke in ein fleischiges Männergesicht.

»Das Beste aus Deutschland«, sagt er, »außer dem BMW natürlich.«

»Danke«, antworte ich so freundlich wie möglich und drücke mich rasch an ihm vorbei. »Und Heidi Klum«, ruft er mir nach.

In diesem Moment erscheinen mir geschliffene Messer ziemlich verlockend. Vielleicht sollte ich Wade Hilps kontaktieren. Oder eher Lebensberatung einholen? Einen Schnellkurs machen, wie man Kulturschocks überwindet? Ich fahre zu Michael, dem Lehrer im Ruhestand, denn er ist die Ruhe in Person. Ich dagegen dampfe mindestens so sehr wie der Tee, den er mir in seiner Küche braut.

»Es stimmt doch einfach nicht«, rufe ich. »Viele Leute haben Zäune um ihr Grundstück in Eagle Bay, und das sind bestimmt Kanadier!«

»Reg dich ab«, sagt Michael und holt Milch aus seinem Kühlschrank, auf dem Leitsätze stehen wie »Nichts schmeckt so gut, wie sich schlank anfühlt« und »Eine Sekunde im Mund, auf der Hüfte ein Pfund«. Michael nimmt seinen Kampf gegen überflüssige Kilos sehr ernst.

»Und ich weiß auch, warum die Leute hier Zäune haben: wegen der Hundeplage«, rufe ich wieder. Eagle Bay kommt nämlich die zweifelhafte Ehre zu, in Kanada die höchste Hundedichte pro Kopf der Bevölkerung zu verzeichnen. Die Behörden mussten per Gesetz die Anzahl pro Haushalt auf drei Hunde begrenzen. Als Michael ein Musical mit seinen Schülern aufführte, überraschte der Titel niemanden. Es hieß »Dogs«. In der jüngsten Ausgabe des *Eagle Bay Courier* las ich, dass man aus einem neuen Gesetz eine Klausel entfernt hat. Sie besagte, es sei Hunden in Eagle Bay verboten, anderen Tieren »ohne Provokation« nachzujagen. Wahrscheinlich haben die Behörden festgestellt, dass die Strafverfolgung von Hunden doch zu kompliziert ist. Wie hätte man ermitteln können, ob ein Eichhörnchen einen Hund provoziert hat oder nicht?

Michael kennt jeden in Eagle Bay, auch den Truckfahrer. »Das war sicher Todd Wilkie. Der konnte schon zu meiner Zeit ›Autoreifen‹ nicht richtig schreiben.«

Michael war 23 Jahre lang Lehrer in diesem Dorf. Nur eine Hebamme kann intimere Kenntnisse der einheimischen Familien haben als er. Und Michael kennt auch die kanadische Nationalseele genau.

»Harmonie ist oberstes Gebot«, belehrt er mich. »Kanadier sind friedliebend. Sie mögen keine Konflikte. Sie mögen auch keine Konfrontationen.«

»Aber du bist doch in England aufgewachsen, Michael!« Ich verschlucke mich fast am Tee.

»Daran möchte ich bitte nicht erinnert werden«, sagt er und lehnt sich würdevoll im Polsterstuhl zurück. »Meine Schwester in England hält Kanada immer noch für eine britische Kolonie.«

Fast hätte ich ihm entgegnet, dass Kanada ja auch erst seit 1982 eine eigene Verfassung hat, vorher war das britische Parlament dafür verantwortlich. Aber ich beiße mir rechtzeitig auf die Zunge.

Irgendwo habe ich gelesen, dass es wie aus Eimern goss, als Königin Elisabeth II. das Dokument, das Kanada von Englands Nabelschnur löste, unter freiem Himmel vor dem Parlamentsgebäude in der Hauptstadt Ottawa unterzeichnete. Während der damalige kanadische Premierminister Pierre Elliott Trudeau (wer sonst?) verschmitzt lächelte, sollen Regentropfen das ehrwürdige Pergament verschmiert haben.

Was einmal mehr beweist, dass das Wetter in Kanada stärker ist als seine Geschichte.

Michael kam als junger Mann aus England nach Kanada. Er habe sich anfänglich an die kanadische Laisser-faire-Mentalität nicht gewöhnen können, sagt er, an die desorganisierte Laschheit und die endlosen Diskussionen, in denen nichts entschieden wurde. Als beim Schulfest das Mikrophon nicht funktionierte, das gegen seinen Rat vorher nie getestet wurde, hatte er genug. Er kehrte nach England zurück. Aber dort ging ihm die britische Besserwisserei noch mehr auf die Nerven, und er kaufte sich einen Flug nach Vancouver.

»Seither habe ich nicht mehr zurückgeschaut«, sagt Michael. Er will das feiern. Mit meinem Jägermeister.

In den folgenden Tagen patrouilliere ich mit dem Pick-up in Eagle Bay, auf der Suche nach Gartenzäunen. Ich will wissen, wie viele Nicht-Deutsche einen Zaun haben. Es ist ganz einfach. Auf dem Land lassen die Bewohner ihren Namen auf Holztafeln schnitzen, die sie vor die Einfahrt hängen.

»The Moores«. »Ashley and Fred Williams«. »Sony and Walt«. »Pete, Karen, Bob, Wendy, Sam & Hunter«.

Hunter ist wohl der Hund. Aber bei manchen kanadischen Namen weiß man nie. Ich habe schon Kerry für eine Frau gehalten, und es war ein Männername. Dasselbe gilt für Terry, Val, Sandy oder Devon. Vorsicht ist immer angebracht.

Am Freitag verfolge ich einen zotteligen weißen Hund und eine braune Straßenmischung mit dem Rechen. Die Köter, die stets unbeaufsichtigt herumlaufen, haben wieder einmal ihr Geschäft in meinem Garten gemacht. »Go home! Go home!«, brülle ich.

Fast täglich finde ich Hundekot im Gras. Ich recherchiere den Namen des Hundehalters und melde den Vorfall bei den örtlichen Behörden.

»Bin ich die Einzige, die sich beschwert?«, frage ich.

»Sie handeln genau richtig«, sagt die zuständige Beamtin. »Es wäre schön, wenn das andere auch täten.«

Der Hundehalter wird verwarnt, und ich sehe ihn mit den angeleinten Tieren an meinem Haus vorbeispazieren. Mein Triumph währt nicht lange.

In Eagle Bay tobt man nicht, auch wenn der Nachbarhund die ganze Nacht bellt. In Eagle Bay zeigt man den Nachbarn nicht an, auch wenn man an akutem Schlafmangel leidet. Und wenn schon, dann höchstens anonym. In Eagle Bay flucht man nur heimlich und hinter dem Rücken der andern. Harmonie ist oberstes Gebot. Öffentlich schreien ist tabu.

Michael ist diesbezüglich sehr besorgt, das kann ich an seiner Botschaft ablesen, die er mir auf der Internetseite von Facebook schickt. »Die beste Art, sich in Eagle Bay zu integrieren, ist Mitglied der Royal Canadian Legion zu werden«, schreibt er diplomatisch.

Ich habe keine Ahnung, was die Royal Canadian Legion ist. Es klingt fast wie Fremdenlegion. Im Internet erfahre ich, dass es sich um eine Organisation handelt, die ehemalige kanadische Soldaten aus dem Zweiten Weltkrieg finanziell und moralisch unterstützt. Jetzt dämmert es mir: Das sind die Leute, die die »Poppies« verkaufen, rote Mohnblumen aus Papiermaché für zwei Dollar. Am offiziellen Erinnerungstag, dem Remembrance Day am 11. November, tragen sogar der kanadische Premierminister und alle Fernsehmoderatoren Poppies im Knopfloch.

Aber warum sollte ausgerechnet ich Mitglied dieser Institution werden? Als ich mit Michael im Lokal der Legion Nummer 438 in Eagle Bay stehe, bin ich noch verwirrter. Der Raum ist eine Mischung aus Wildwest-Saloon, Kneipe und Armeeschrein.

»Alle treffen sich hier«, erklärt mir Michael. »Handwerker, Holzfäller, Immobilienmakler, Dart-Spieler, der Seniorenclub, Mädchen mit Rasta-Locken, gescheiterte Existenzen, Eishockeyfans und rockende Großmütter.«

Ich sehe mich um: Außer einem Typen an der Bar und einem jungen Paar am Billard-Tisch ist die Halle leer.

»Wie soll ich hier Leute kennenlernen?«, frage ich.

Michael öffnet die Tür zur Terrasse. Tatsächlich: Da sitzen sie zu Dutzenden, die Bewohner von Eagle Bay, die im Inneren nicht rauchen dürfen. Die Nichtraucher leisten ihnen Gesellschaft, weil drinnen nichts läuft.

Michael und ich setzen uns mit einem Bier zu der Gruppe, und innerhalb einer Stunde weiß ich, dass Cathy dem Tierarzt zweitausend Dollar für die Behandlung ihrer Katze bezahlt hat, John am Ferienhaus der legendären kanadischen Sängerin Joni Mitchell mitbaut, Josh eine Affäre mit einer verheirateten Frau hat und der todkranke Charly vor fünf Jahren bei Freunden Geld für sein eigenes Begräbnis sammelte, aber immer noch lebt. Ich bin auch zum Line-Dance-Kurs eingeladen. Ja, die Legion macht Spaß!

Eigentlich ist es ganz leicht: »If you can't beat them, join them.« Wenn du sie nicht besiegen kannst, tritt ihnen bei.

Zu Hause befasse ich mich mit den Details des Protokolls. In meinem Kopf mache ich eine Liste: Ich bin bereit, auf der Straße Poppies zu verkaufen. Ich will auch der Opfer gedenken, die die Kriegsveteranen erbracht haben. Schließlich haben sich die kanadischen Soldaten während des Zweiten Weltkriegs mutig für die Befreiung Europas eingesetzt. In der Schlacht von Dieppe im Jahr 1942 starben 900 Kanadier, und fast 2000 gerieten in Gefangenschaft. In Italien kamen rund 6000 um. Insgesamt ließen 42 000 kanadische Soldaten ihr Leben. Dabei haben die Kanadier selbst noch nie einen Krieg angezettelt. Michael sagt, sie wüssten wahrscheinlich gar nicht, wie man so etwas macht.

Im schlimmsten Fall würde ich auch hinter der Fahne der Royal Canadian Legion durch die Straßen von Eagle Bay marschieren. Ich kann vielleicht sogar eine geschlagene Stunde geduldig auf die verspäteten Dudelsackbläser warten, wie es im vergangenen Jahr bei der Gedenkfeier passiert ist. Ich bin überdies bereit, in Anwesenheit von Zeugen zu geloben, dass ich die kanadische Regierung nicht stürzen will und keine subversive Propaganda betreibe.

Aber dann halte ich inne.

»Was ist das, Gehorsam gegenüber dem Souverän?«, frage ich Michael.

Der redet nicht lange um den heißen Brei herum. »Der Souverän ist die britische Krone.«

Das bremst mich sofort gewaltig. Ich weiß zwar, dass Königin Elisabeth II. das offizielle Staatsoberhaupt Kanadas ist. Ein Relikt aus Kolonialzeiten. Aber ihr Untertan will ich deswegen noch lange nicht werden, nicht einmal im Austausch für den neuesten Dorfklatsch und ab und zu ein Bier in der Royal Canadian Legion von Eagle Bay.

»Das hätten die Kanadier doch schon längst ändern können«, klage ich Vera. »Das ist doch antiquiert.«

Vera mailt mir postwendend die pdf-Kopie eines Zeitungsinterviews mit dem kanadischen Botschafter in Deutschland, den man auch nach der Queen gefragt hatte. Vera hat in ihrer Gründlichkeit ein Zitat gleich dick markiert.

»Die Kanadier sind bequem«, sagte der Botschafter. »Wir sagen: If it's not broken, don't fix it. Repariere nichts, was nicht kaputt ist. Unser Verhältnis zur Queen ist nicht kaputt, es gibt keinen Grund, etwas zu verändern. Sie kommt uns ab und zu besuchen.«

»Warum«, schreibt Vera, »machst du es dir so schwer? Sei doch bequem wie die Kanadier.«

Sie hat recht: Ich mache es mir schwer. Aber zum Schluss macht Bob es mir leicht. Er ist der Präsident der Legion in Eagle Bay und Gitarrist in der Rockband »Beachcombers«. Bob ist meine Rettung, als ein Sturm durch Eagle Bay fegt und der schwere Ast einer Zeder mit einem Riesenknall durch das Dach meines Hauses ins Vestibül bricht. Kanadische Holzhäuser setzen solchen Einbrüchen nicht gerade viel Widerstand entgegen. Ich glaube zuerst, ein Blitz hätte eingeschlagen. Mein Herz rast.

Ich weiß nicht, wer Bob angerufen hat, aber er ist eine halbe Stunde später zur Stelle. Mit der Kettensäge rückt er dem Ast zu Leibe und flickt gleich noch das Loch im Dach. Nichts geht über kanadische Nachbarschaftshilfe. Wie kann ich da nicht Mitglied der Royal Canadian Legion werden?

Drei Wochen später stehe ich vor einem mit blauem Tuch überzogenen Tisch, er sieht fast aus wie ein Altar, mit allerlei Insignien darauf. Ich erkenne die kanadische Flagge mit dem Ahornblatt, die britische Fahne und natürlich ein rotes Poppy. Verlegen richte ich meinen Blick auf die Wand vor mir. Dort hängen andere Devotionalien: ein riesiger Fernsehbildschirm, zwei Zielscheiben für Darts und auf einer Schiefertafel das Tagesmenü der Legion: Chicken Burger und Cesar Salad.

Nick Hollingworth liest die Einführung in die Zeremonie vor. Nick ist Schauspieler und wird meistens in amerikanischen Fernsehserien, die aus Kostengründen auf kanadischem Boden gedreht werden, als trinkfester Mann in der Bar einer Kleinstadt eingesetzt. Er ist zudem stolzer Besitzer eines schottischen Kilts. Neben Nick stehen Bob und Sam in Holzfällerhemden, zerknitterten Bluejeans und Trekkingschuhen.

Ich kann sie nicht ansehen, denn mit meinem eleganten Zweiteiler und der Perlenkette bin ich hoffnungslos falsch angezogen. An Bobs und Sams amüsierten Blicken kann ich ablesen, dass am Abend die gesamte Legion davon erfahren wird. Unglücklicherweise lenkt nichts von meiner Person ab. Eigentlich hätten zwei weitere Kandidaten vereidigt werden sollen, aber irgendjemand hat vergessen, es ihnen zu sagen. Was Michael natürlich zu sarkastischen Kommentaren verleitete.

Nicht vergessen werden in Kanada aber die toten Soldaten aus den Kriegen in fremden Landen, ein Gedanke, der mir in diesem Moment nun doch ans Herz rührt. Unvergessen ist auch das Gedicht eines kanadischen Soldaten aus dem Jahr 1915 über Mohnblumen, die auf den Gräbern der Gefallenen wachsen. »In Flanders fields the poppies blow ...« Was bedeutet es da schon, wenn zwei Leute ihre Vereidigung verpassen? Und ich verpasse die Passage über den Souverän, dem ich Treue geloben soll, weil meine Gedanken abschweifen.

Ich höre nur das Wort »Commonwealth«, und dann höre ich zwei Männer an der Bar debattieren, bis die Barmaid »Schschsch« macht. Einer hat mir zuvor auf der Terrasse *pot* angeboten, weil das die Nerven beruhige. Sicher erzählt er jetzt seinem Kumpel, dass ich sein Haschisch-Zigarettchen entrüstet abgelehnt habe. Dabei gilt doch die Haschisch-Qualität aus Eagle Bay als die beste der Welt, wenigstens in den Augen von Insidern.

Plötzlich herrscht Stille. Ich werfe nervös einen Blick auf die drei Männer vor mir. Alle sehen mich erwartungsvoll an. Michael, der das Ereignis mit der Kamera festhält, raunt mir etwas zu. Was habe ich nur falsch gemacht?

»Du musst es wiederholen!«, flüstert Michael.

Wiederholen? Was denn? Nick, der Schauspieler, erbarmt sich meiner und liest nochmals den letzten Absatz: »Da Sie Zweck und Ziel dieser großartigen Organisation gehört haben, sind Sie bereit, sie anzuerkennen und sich dafür einzusetzen, das Anliegen der Legion zu fördern? Wenn Sie bereit sind, sagen Sie bitte: Ich bin bereit.«

Das tue ich erleichtert und werde darauf von drei Männern herzlich umarmt. (Von Letzterem erzähle ich Vera später nichts. Sie denkt sonst, ich sei von Anfang an darauf aus gewesen.) Ich spendiere allen eine Runde Bier und fühle mich euphorisch. Ich habe die höheren Weihen erhalten! Von nun an werde ich wie die Menschen in Eagle Bay sein! Geduldig. Entspannt. Locker. Tolerant. Durch nichts aus der Ruhe zu bringen.

Die Euphorie hält genau drei Tage an. Dann sehe ich wieder zwei Hunde in meinem Garten scharren.

Aber da habe ich bereits andere Sorgen. Ich finde einen frischen Haufen Kot neben dem Johannisbeerstrauch.

Das ist kein Hund.

Das ist ein Bär.

14

Bären und Beeren

Sally, meine Putzfrau, ist in Tränen aufgelöst. Kaum bin ich über die Türschwelle getreten, kommt sie auf mich zugelaufen.

»Es ist schrecklich«, schluchzt sie. »Schauen Sie.«

Ich werfe einen Blick ins Wohnzimmer und sehe nichts als Verwüstung. Die Polster meines Sofas sind aufgeschlitzt, das weiße Füllmaterial quillt heraus. Zeitungsfetzen liegen überall auf dem Boden. Der Teppich ist übersät mit zerrissenen Müsli-Verpackungen und deren Inhalt. Reste von Katzentrockenfutter knacken unter meinen Sohlen. Von dem schönen Teekrug aus Porzellan sehe ich nur noch Scherben. Chaos und Zerstörung, wo immer ich hinblicke.

Ich lege Sally den Arm um die Schultern, obwohl ich selber Trost bräuchte.

»Die Katzentür ist schuld«, sagt sie, »sie sind sicher durch die Katzentür eingedrungen. Ich sah sie durch die Waschküche verschwinden, als ich hereinkam.«

Ich weiß, von wem sie spricht: Die Täter sind Waschbären.

Kürzlich sah ich sie in meinem Garten herumtollen. Sie kamen sogar auf der Terrasse zur Glastür und bettelten um Futter. Putzige, drollige Tiere mit rasiermesserscharfen Krallen, mit denen sie leicht den Bauch eines Hundes aufschlitzen können, wenn er sie bedrängt. Noch öfter attackieren sie Katzen.

Sally schüttelt den Kopf. »Die Leute, die den Sommer im roten Haus am Ende der Straße verbringen, füttern die Waschbären. Was für Dummköpfe. Die verstehen einfach nicht, dass Waschbären wilde Tiere sind.«

Ich seufze. »Ja, sie sind nicht die Einzigen. Mir hat kürzlich auf einer Party eine Frau erzählt, dass sie Waschbären fast wie Haustiere hält. Sie sagte mir, wenn ein Weibchen Junge hat, komme die Mutter zu ihr und stelle ihr die Waschbärenkinder vor. Sie hatte Tränen der Rührung in den Augen, als sie mir das erzählte.«

Während Sally dem Chaos zu Leibe rückt, rufe ich die »Racoon Lady« an, eine Dame im Nachbardorf, die sich zur Waschbären-Expertin gemausert hat.

»Hängen Sie doch Luftballons an die Tür«, rät sie. »Waschbären spielen damit, und wenn es knallt, erschrecken sie. Und stellen Sie eine übelriechende Flüssigkeit vor die Tür, zum Beispiel fauligen Schwefel.«

Ich folge ihrem Rat, blase Luftballons auf und verschließe die Katzentür für einige Tage.

Ruhe kehrt wieder in meinem Haus ein.

Bis eine Redakteurin anruft. In Deutschland herrscht Bären-Hysterie. »Die drehen alle durch«, sagt sie. »Es ist wirklich nicht zu fassen. Nur weil jetzt so ein Braunbär über die Alpen eingewandert ist. Die Kanadier sind da sicher viel gelassener im Umgang mit Bären. Die nehmen das doch mit der Muttermilch auf.«

»Gelassener? Also –«

Die Redakteurin lässt mich nicht ausreden. »Davon könnten die Deutschen doch was lernen. Wie man die

Ruhe bewahrt und friedlich mit Bären koexistiert. Das wäre doch eine schöne Geschichte.«

»Sicher, aber –«

»Überlegen Sie sich mal was dazu. Sie dürfen ruhig auch eigene Erfahrungen einbringen. Wie man als Deutsche die Angst vor Bären verliert, zum Beispiel.«

»Nun, das ist nicht –«

»Ich habe noch keinen Termin, den geb ich Ihnen per E-Mail durch. Tschüs.«

Ich muss mich hinsetzen. Eigene Erfahrungen. Auweia. Ich atme tief durch. Wie stünde ich da, wenn ich von jenem Vorfall schreiben würde, als ein Bär in meinem Garten aufgetaucht ist? Soll ich das wirklich tun? Der Text würde etwa so beginnen: Ich sitze Zeitung lesend im Klappstuhl auf dem Rasen und höre es krachen im Gehölz. Mir schwant schon etwas, aber ehe ich einen klaren Gedanken fassen kann, streckt ein riesiger Schwarzbär seinen Schädel aus dem Gebüsch. Er ist keine zehn Meter von mir weg.

Von wegen Gelassenheit. Von wegen souveräner Umgang mit wilden Tieren. Das kann sich die Redakteurin gleich abschminken. So schnell bin ich noch nie auf die Terrasse gerannt. Auf der Flucht habe ich auch noch meine Katze ins Hausinnere gerettet.

Als ich durchs Fenster spähe, steht der Bär immer noch an der genau gleichen Stelle und streckt die Nase in die Luft. Dann frisst er Gras, wie eine Kuh. Er kommt mir gigantisch vor! Eine Ewigkeit vergeht, bis er im Gebüsch verschwindet.

Wofür hat man Nachbarn? Mit klopfendem Herzen rufe ich Michael an.

»Ein riesiger Schwarzbär?«, sagt er. »Ja, den kenne ich. Der macht jedes Jahr die Runde, wenn die

Pflaumen in John Cotts Garten reif sind. Ich hab John schon hundertmal gesagt, er soll die Pflaumen rechtzeitig ablesen. Aber er ist einfach zu faul dazu. Für einen Bären ist reifes Obst unwiderstehlich. Was hast du gemacht?«

»Ich? Warum ich?«, frage ich überrascht.

»Melde den Bären keinesfalls dem Wildhüter«, sagt Michael, »sonst wird er womöglich erschossen. Ich meine, der Bär, nicht der Wildhüter. Letzte Woche haben sie hinter dem Einkaufszentrum ein Weibchen abgeknallt, die Idioten. Die sollten lieber mal die Mülltonnen dort entfernen. Hast du den blödsinnigen Leserbrief in der Zeitung gelesen? Nein? Dann mach das noch. Es ist wirklich kaum zu glauben.«

Michael kann aber nicht warten und liest mir den Brief gleich am Telefon vor. »Da schreibt doch so ein seniler Hampel: *Wir machten einen Spaziergang am Waldrand entlang, und plötzlich tauchte ein Bär vor uns auf. Wir hatten einen Riesenschreck. Können die Behörden hier nicht für die Sicherheit der Bürger sorgen? Warum kann man nicht einmal spazieren gehen, ohne um sein Leben fürchten zu müssen!«* Michaels Stimme überschlägt sich. »Kannst du das glauben? Die sollen doch in die Stadt ziehen, wenn sie nicht mit wilden Tieren leben wollen!«

»Ja, aber nicht an den Stadtrand in North Vancouver oder West Van«, sage ich, »denn dort haben die Leute auch Bären im Garten.«

»Ja, und das ist auch gut so, schließlich dringen wir mit all der Bauerei in ihr Revier ein.«

Ich habe Michael selten so außer sich erlebt. Nach diesem Gespräch hört die Bescherung für mich allerdings nicht auf. Am nächsten Tag ist mein Garten mit Müll übersät. Nicht mit *meinem* Müll, wohlverstanden, das kann ich gleich an den herumliegenden Verpackungen sehen. *Ich* esse kein Kraft Dinner wie viele Kanadier, ich koche meine Käsemakronen selber.

Das muss von dem Typen von nebenan sein, der seinen Müll am Abend auf die Straße stellt, natürlich in einer normalen Mülltonne und nicht in einem bärensicheren Modell.

Was soll ich tun? Hier beschwert man sich ja nicht direkt. Mir kommt eine Idee. Ich lese den Müll mit Gummihandschuhen auf und schreite zur Tat. Am nächsten Morgen hängen an unserer Straße überall Plakate mit folgendem Wortlaut: »Stellen Sie Ihren Müll bitte erst am Morgen hinaus. Wir haben einen Bären im Viertel. Tun Sie es, um unsere Kinder und Haustiere zu schützen.« Die Warnung ist natürlich anonym. Wenigstens glaube ich das.

Aber postwendend ruft Michael bei mir an. »Das warst du mit den Plakaten, nicht wahr?«

Ich bin verblüfft. »Wie hast du das herausgefunden?«

»Es ist so unkanadisch«, sagt er.

»Danke für das Kompliment.«

»Und nützen wird es auch nichts«, sagt er.

»Das wollen wir ja mal sehen«, sage ich eingeschnappt.

Als ich meine Post aus dem Briefkasten hole, ertappe ich einen Mann dabei, das Plakat zu lesen. Ich spreche ihn an. Es gibt keinen Hinweis darauf, dass er mich als Urheberin verdächtigt. Dafür sagt er: »Ich komme aus Alberta und weiß, wie man mit Bären umgeht. Das ist nur Ungeziefer.« Er legt ein unsichtbares Gewehr an und sagt: »Bumm, bumm!«

Das erzähle ich der netten Frau, die zwei Tage

später vor meiner Haustür steht. »Bear Awareness Program« steht auf dem Flugblatt, das sie mir reicht. »Wir wollen die Bevölkerung über Bären aufklären und wie man richtig mit ihnen umgeht«, sagt sie.

Ich stelle mich naiv. »Ich dachte, die Menschen in Kanada wüssten das seit ihrer Kindheit.«

»I wo«, sagt sie, »die meisten Kanadier wissen überhaupt nichts. Die schütteln zwar den Kopf über Touristen, die viel zu nahe an Bären herangehen. Aber ich sehe so viel Dummheit bei Einheimischen, die es besser wissen müssten.«

»Ich hatte kürzlich einen Bären in meinem Garten«, sage ich beiläufig.

Die Frau von der Bären-Aufklärungskampagne macht gleich eine ernste Miene. »Aha. Sie wissen, was Bären anzieht, nicht wahr? Vogelfutter irgendwo?«

Ich schüttle den Kopf.

»Kompost? Gemüse im Garten? Müll? Katzenfutter vor der Tür? Sträucher mit Beeren?«

»Ja, im Garten gibt's einen Johannisbeerstrauch.«

»Sie sollten die Beeren gleich ablesen.«

Ich verspreche es.

Darauf schicke ich der Redakteurin, die mich angefragt hatte, hoffnungsvoll eine E-Mail. Ich möchte sie von ihrem ursprünglichen Vorhaben ablenken, denn ich fürchte, ihr Bild von den bärenerfahrenen Kanadiern zerstören zu müssen.

»Ein mögliches Thema wäre das Grizzlybären-Reservat im Khutzeymateen-Tal in British Columbia«, schreibe ich. »Es ist das einzige Reservat für Grizzlys in Kanada.«

Ihre Antwort vernichtet meine Hoffnungen. »Bären im Reservat interessieren hier nicht. Vor allem nicht, wenn in Bayern ein Bär in Dörfern und an Seen in der

Nähe von Menschen herumspaziert. Wie weit sind Sie mit Ihrer Geschichte?«

Es gibt kein Entkommen. Die Redakteurin will menschliche Gelassenheit und Bären, die sich ebenfalls höflich verhalten.

In solchen Momenten hilft ein Spaziergang. Da kommen mir die besten Ideen. Doch kaum schlage ich den Pfad zum Strand ein, sehe ich einen Kojoten seelenruhig an der Bushaltestelle sitzen. Ich mache auf den Fersen kehrt und verschiebe den Ausflug. Ich muss zuerst meine Katze im Haus einsperren, bis die Gefahr vorüber ist. Gleichzeitig rette ich mich auch.

Und wie es der Zufall so will, ruft mich anderntags eine Bekannte aus Vancouver an, die an einer Meerenge namens False Creek wohnt.

»Stell dir vor«, sagt sie aufgeregt, »heute wollte sich ein Adler auf meine Katze stürzen. Sie saß auf dem Geländer meines Balkons, und der Adler stach direkt auf sie hinunter. Ich bin gerade noch rechtzeitig dazugekommen und konnte ihn mit meinem Grillbesteck verjagen!«

»Dann ist es also kein Witz?«, frage ich.

»Natürlich ist es kein Witz!«, sagt die Bekannte.

Ich korrigiere mich schnell. »Nein, nein, ich meine nicht deine Schilderung. Ich meine den Witz über das Adlernest, in dem man ein Dutzend Halsbänder von Katzen gefunden hat.«

»Hat man das? Das kann schon sein. Ich hab's ja jetzt mit eigenen Augen gesehen. Und ein Halsband trägt meine Katze auch.« Dann erzählt sie mir, dass sich ein Adler kürzlich auf einem Parkplatz einen kleinen Hund geschnappt hat. Der sei sogar an der Leine gewesen. Sie habe das in der Zeitung gelesen.

Nach diesem Gespräch setze ich mich an den

Computer und schreibe eine E-Mail an die Redakteurin. »Sie brauchen sich nicht über die Menschen in Deutschland aufzuregen. Es ist nicht einfach, mit wilden Tieren zu leben, glauben Sie mir. Weder mit Bären noch mit Adlern oder Kojoten. Und auch nicht mit Wolfsspinnen, die so groß wie Aprikosen sind und sich am liebsten im Schlafzimmer verstecken.«

Ich lese, was ich geschrieben habe, und lösche die Nachricht wieder.

Am nächsten Tag meldet sich die Redakteurin. »Der Bär in Deutschland ist tot. Man hat ihn erschossen, den Armen. Ich glaube, ich nehme jetzt doch besser die Geschichte über das kanadische Grizzlybären-Reservat. Bis wann können Sie liefern?«

15

Ein Floozie in der Silbermine

Ich suche Anschluss. Daher fällt mir eine Anzeige im Veranstaltungskalender der Lokalzeitung auf. Ich rufe die aufgeführte Telefonnummer an und gerate in die Fänge von Brenda. Sie ist es, die sich am anderen Ende der Leitung meldet.

»Natürlich können Sie Mitglied unserer Wandergruppe werden«, ruft sie, »wir wandern jede Woche, da werden Sie eine Menge Leute kennenlernen. Aus Deutschland kommen Sie? Wir hatten früher mal einen Deutschen in unserer Gruppe. Der trug rote Kniesocken und eine kurze Lederhose. Tun das wirklich alle in Deutschland?«

Ich versichere Brenda, dass meine Wandersocken grau seien und dass ich beim Wandern immer eine lange Hose trage, wegen der Zeckengefahr.

»Ach, wir Kanadier machen uns keine Sorgen wegen der Zecken, wir tragen immer Shorts«, sagt Brenda. »Aber Mückenspray wäre gut.«

Ich erkundige mich vorsichtig nach dem Alter der Gruppenteilnehmer und merke bald, dass ich eine der Jüngsten sein werde. Da brauche ich mich ja nicht wegen des Leistungsniveaus zu sorgen, denke ich, mit diesen kanadischen Senioren wird es ein Heimspiel für mich.

Denkste. Bei meinem ersten Wanderausflug mit der Gruppe gehen die älteren Semester die ansteigende

Forststraße in einem solchen Tempo an, als gelte es, einen Rekord zu brechen. Der Gruppenleiter ist über siebzig, Brenda an die sechzig, drahtig und schlank, und mit dem Rest der Gruppe kann ich gerade mithalten. Das darf doch nicht wahr sein, denke ich, mit meiner Wanderkondition! Nach zwei Stunden fängt mein Zuckerspiegel an zu sinken.

»Wann gibt es eine Rast?«, frage ich einen älteren Mann, der mir gerade von seinen Schneeschuh-Abenteuern erzählt hat.

»Ach, die machen wir, wenn wir oben sind«, sagt er.

»Wann sind wir oben?«

»Wahrscheinlich in etwa zwei Stunden.«

So lange halte ich es nicht aus.

»Ich bin hungrig«, rufe ich laut und verzweifelt. Und bereue es sogleich. Die ganze Gruppe dreht sich erschrocken zu mir um und starrt mich entgeistert an.

»Haben Sie nicht gefrühstückt?«, fragen mehrere gleichzeitig.

»Ja, aber das ist drei Stunden her«, sage ich kläglich. »Kann ich rasch etwas essen?«

Meinen Beerenjoghurt verdrücke ich in Anwesenheit eines Dutzend höflich, aber ungeduldig wartender Berggänger. Dabei stelle ich fest, dass tatsächlich fast alle Shorts tragen, unabhängig vom Alter.

Gemütlichkeit und Genuss, das merke ich schnell, sind nicht das Ziel dieser Wandergruppe. Die Rast am idyllischen Bergsee, die ich so lange ersehnt habe, ist kurz und zweckmäßig. Ich wage die Gruppe nicht zu bitten, zwei Minuten lang zu schweigen, um die Stille dieses magischen Ortes aufzunehmen. Ich wage auch nicht stehen zu bleiben, um Beeren zu pflücken oder eine Blume in meinem Pflanzenbuch nachzuschauen. Zu sehr fürchte ich, den Anschluss zu verlieren.

Bevor wir uns am späten Nachmittag verabschieden, höre ich einen Satz, der später stets einen Wandertag beschließen wird: »Das war aber ein wirklich gutes Körpertraining.« Schwitzen, nicht schwelgen ist hier die Devise.

Jetzt wundert mich nicht mehr, warum der Grouse Grind in North Vancouver in der Bevölkerung so beliebt ist. Bei diesem steilen, fast drei Kilometer langen Anstieg über 2830 Treppenstufen ist persönliche Bestzeit so wichtig wie die eigene Leidensbereitschaft. Qual wird als Belohnung erlebt. Jedes Jahr lassen sich über hunderttausend Leute nicht von den 853 Metern Höhenunterschied abschrecken und hecheln den Berg Grouse hoch.

Natürlich gibt es auch Kanadier, die sich gegen solches Leistungsdenken auflehnen. In Forest Arms hat sich eine »Aktionsgruppe für sanftes Wandern« gebildet, aber ich wage ihr nicht beizutreten, weil ich Brenda nicht brüskieren will. Auch die anderen Teilnehmer sind sonst wirklich nett und zuvorkommend.

Überdies ist Brenda auf einer Mission: Sie will mich mit der kanadischen Lebensweise vertraut machen.

Dazu gehört natürlich eine Halloween-Party. Alles, was mit Verkleidung zu tun hat, macht mich immer leicht nervös.

»Ich habe kein Kostüm«, sage ich.

Brenda lässt nicht locker. »Ach, stell einfach was zusammen, etwas Witziges, das reicht auch.«

Sie hat leicht reden. Etwas Witziges. Das kann völlig danebengehen. Was ist für Kanadier denn witzig? Ich habe schon mehrfach bewiesen, dass ich kanadischen Humor schlecht verstehe.

Einmal hat eine nicht ganz schlanke Frau in der Wandergruppe erzählt, sie habe neunzig Kilogramm abgenommen, als ihr letzter Freund sie verließ. Alle lachten. Nur ich verstand nicht.

»Neunzig Kilogramm!«, sagte ich mit diskretem Blick auf ihre Figur. »Wie ist das nur möglich?«

Jetzt lachten die Wanderfreunde noch mehr. Schließlich erbarmte sich einer und erklärte mir, der Freund habe neunzig Kilogramm gewogen.

Ich habe es auch aufgegeben, deutsche Witze zu erzählen. Sie kommen einfach nicht an. Dafür löse ich immer wieder unfreiwillig Gelächter aus, wenn ich falsche englische Wörter gebrauche. Kürzlich sagte ich einer Bekannten, dass ich meine Wanderschuhe mit einem Spray imprägniere. »I impregnate my shoes«, sagte ich wörtlich. Worauf ich den ganzen Tag hören musste, dass ich meine Wanderschuhe *schwängere.*

Noch peinlicher ist mir die Äußerung nach einer Bootsfahrt.

»Wir haben die Insel umfahren«, erzählte ich meinen Freunden, was ich mit »We circumsized the island« übersetzte. Das bedeutet allerdings so viel wie »Wir haben die Insel beschnitten«, ein Wort, das für Beschneidungen bei Jungen gebraucht wird. Was ich meinte, war »circumvent«. Aber da war es schon zu spät. Ich werde diesen Lapsus wohl nie loswerden, meine kanadischen Bekannten finden ihn so lustig, dass sie ihn immer weitererzählen.

Und jetzt also Halloween. Ich krame in meinen alten Klamotten und finde einen silbernen Regenmantel, eine silberne Abendhose und silberne Schuhe. Ich male mein Gesicht silbern an und bastle einen silbernen Kopfreif mit passenden Ohrhängern aus Alufolie. Dann klebe ich einen Spruch auf die Rückseite des

Regenmantels: »*Ich bin eine Silbermine – bitte beuten Sie mich aus!*«

Ich erzähle Michael davon.

»Nee, das geht nicht«, sagt er, »das ist zu … zu zweideutig.«

»Zu zweideutig? Das soll doch zweideutig sein, das ist ja der Witz an der Sache.«

Michael ist nicht amüsiert. »Du hast mich nach meiner Meinung gefragt, und das ist meine Einschätzung. Vielleicht hast du noch eine bessere Idee.«

Gut, ich will mir nicht meine erste Halloween-Party verscherzen. Deshalb ändere ich den Spruch: »*Ich bin eine Silbermine – investieren Sie in mich!*«

Es ist ein Flop. Ich sehe es schon an Brendas Gesichtsausdruck. Sie weiß ganz einfach nicht, was sie davon halten soll. Die Kostüme der anderen Gäste sind leichter zu entziffern: Ein fünfzigjähriger Mann tritt als Ballerina auf, im rosa Tüllröckchen. Ich treffe auf einen Teufel mit Hörnern und Dreizack, eine bauchfreie Haremsdame, einen Clown, eine griechische Göttin und Mister Death im schwarz-weißen Totenkopf-Gewand. Brenda versucht sich als Shrek aus dem gleichnamigen Film.

Ich würde gern noch mehr Kostüme sehen, aber der Rest der Gäste bleibt aus. Die Anwesenden sind in Warteposition, nur kommt niemand mehr.

»Ich habe fünfzig Leute eingeladen«, sagt Brenda entschuldigend. Trotzdem bleiben wir unter uns. Aus schierer Verzweiflung ruft die Gastgeberin alias Shrek gute Freunde an, mit denen sie ganz sicher gerechnet hat. Niedergeschlagen kommt sie ins Wohnzimmer zurück.

»Sie können nicht kommen, weil das Wetter zu schlecht ist«, informiert sie uns.

»Aber die Redfords wohnen doch gleich gegenüber«, sagt der Clown.

Brenda zuckt die Schultern. Sie tut mir leid.

»Warum sagen die Eingeladenen dann nicht wenigstens ab?«, frage ich.

»Hier macht man das so, man lädt einen Haufen Leute ein, aber es gibt keine Verpflichtung zu kommen.«

Ich begreife nicht. »Du hast doch für so viele Leute gekocht! Du musst doch wissen, für wie viele.«

»Ja, sonst sind auch immer genügend Leute da. Ich weiß nicht, was heute los ist. Alle waren so begeistert, als ich sie einlud.«

»Vielleicht sind einige zu der Halloween-Party in der Gemeindehalle gegangen«, wirft die männliche Ballerina ein.

»Oder sie sind in der Legion«, sagt die Haremsdame.

In der Küche flüstere ich Brenda zu: »Ich bin bereit, sehr kanadisch zu werden, aber diese Unverbindlichkeit bei Einladungen kann ich nicht mitmachen. Dafür bin ich zu pflichtbewusst. Und zu deutsch.«

»Ach, mach dir nichts draus. Mir ist es lieber, die Leute kommen ohne Zwang. Wir sind nun mal lockerer hier. Die meisten mögen sich halt einfach nur kurzfristig festlegen. Das ist auch freier.«

Aber in diesem Fall kann ich nicht aus meiner Haut. Wenn ich fortan einlade, sage ich immer mit Nachdruck: »Das ist eine Party nach deutscher Tradition. Wenn ihr nicht kommen könnt, sagt mir vorher auf jeden Fall ab und bleibt nicht einfach weg.« Und siehe da: Das Rezept bewährt sich – selbst unter Kanadiern. Vielleicht denken die Leute, ich sei zu formell, aber das ist mir ganz egal.

Jemand findet auf meiner ersten Halloween-Party doch noch Gefallen an der wandelnden Silbermine.

»Das ist mal was anderes«, sagt die griechische Göttin zu mir. »Hier kommen sonst alle Frauen als Floozies daher.«

»Was sind denn Floozies?«

»So etwas wie leichte Mädchen. Halloween ist wirklich eintönig geworden. Jede Frau will sexy aussehen und die anderen übertrumpfen. Ich kann Strümpfe mit Fischgräten und Rüschen um den Ausschnitt schon gar nicht mehr sehen. Ich bin sicher, in der Gemeindehalle tanzen jetzt lauter Floozies.«

»Für die kanadischen Männer ist das sicher nicht eintönig«, sage ich.

Die griechische Göttin lacht. »Die stehen doch die ganze Zeit unter Stress, weil sie ihre leichtbekleideten Frauen überwachen müssen, damit sie ihnen nicht davonlaufen. Wo bleibt denn da der Spaß?«

Auch der Clown ist von meiner Aufmachung angetan. Er reicht mir eine Zweidollar-Münze: »Ich würde gern noch mehr in Ihre Silbermine investieren«, sagt er. »Darf ich Sie nächste Woche zum Essen einladen?«

Ich lege die silbernen Kleidungsstücke und Accessoires in eine Schublade. Mein Einfall war doch gar nicht so schlecht, denke ich. Das kann ich sicher wieder mal brauchen. Einige Zeit später schickt mir ein Bekannter eine Einladung. Eine Faschingsparty mit Kostümen.

Das Motto ist ein James-Bond-Film.

Sein Titel: Goldfinger.

16

Goldgräber und Can-Can-Girls

»Ich hasse die Kälte«, sagt Lulu und saugt an ihrem Strohhalm.

Ich denke, ich höre nicht recht. Lulu ist freischaffende Fotografin, und ich habe ihr gerade ein unwiderstehliches Angebot gemacht. Wir sitzen in der Cafeteria des Kunstmuseums im Zentrum von Vancouver.

Eine Ausstellung über Georgia O'Keeffe hat mich hierhergelockt. Die Abstecher nach Vancouver brauche ich wie eine Heilkur. Ich treffe meine alten Freundinnen und Bekannte und Leute aus der Medienbranche. Es geht nicht ohne Menschen wie Lulu, die sich gerade mal wieder das kurze Haar umgefärbt hat: Violett mit Strähnchen in Rosa und Neongrün. Dabei ist sie nur zwei Jahre jünger als ich.

Aber jetzt starre ich sie nicht wegen ihrer Haarfarbe ungläubig an. »Lulu, draußen sind vierzehn Grad, und du trinkst Weißwein mit Eiswürfeln und trägst Shorts. Wie kannst du sagen, du magst es nicht kalt!«

Ihre Lippen lösen sich vom Strohhalm (ja, richtig, sie trinkt den Weißwein mit einem Strohhalm!). »Ich trage Shorts, um der Kälte die Stirn zu bieten. Ist das nicht normal?«

Nein, müsste ich ihr eigentlich sagen, für mich ist das nicht normal, aber sehr kanadisch. Ich habe schon im tiefen Winter Leute in Shorts gesehen. Oder Mädchen mit bauchfreiem Top, während ein eiskalter Wind blies.

»Für mich ist normal, einen Pullover und eine Jacke zu tragen, wenn es so kalt ist«, sage ich, ein bisschen beleidigt, weil sie mich nach meiner Jobofferte nicht vor lauter Freude umarmt hat.

Eine Reportagereise durch den Yukon und die Northwest Territories bis ans Polarmeer – wer kann eine solche Gelegenheit schnöde zurückweisen? Connor. Er tat es. Mein langjähriger Fotograf hat sie zurückgewiesen. Er fliegt lieber nach Paris, um Mode zu fotografieren. Und jetzt sträubt sich auch Lulu und sagt: »Was willst du denn in der Arktis tragen, wenn du jetzt schon so gepolstert bist? Unterwäsche aus Eisbärfell und einen Pinguin um den Hals?«

Ich bemühe mich freundlich zu bleiben. Habe ich das nicht inzwischen gelernt? »Lulu, Pinguine gibt es nur in der Antarktis. Ansonsten sind Kleider in Schichten wichtig, wie eine Zwiebel, verstehst du?«

Sie stochert in ihrem Pilzsalat. »Warum willst du ausgerechnet im April dorthin? Warum nicht im Sommer?«

»Weil das Delta des Mackenzie-Flusses nur im Winter gefroren ist. Wir könnten im Sommer nicht mit dem Auto dorthin fahren, sondern müssten fliegen oder eine Fähre nehmen. Es gibt im Sommer keine Eisstraße bis nach Tuktoyaktuk. Ich will aber auf die Eisstraße.«

»Wo ist dieses Tuktitok-wie-auch-immer überhaupt?«

»Nicht weit von Inuvik. Es ist ein Dorf der Inuvialuit.«

»Der was?«

»Die Eskimos dort oben nennen sich Inuvialuit.«

»Und wo ist Inuvik?«

Ich staune immer wieder, wie wenig manche Kanadier ihr Land kennen. Vielleicht ist es einfach zu groß, um sich so viele Orte zu merken. Aber anderseits ist es so dünn besiedelt. Und lernen die Kanadier so was nicht in der Schule? Lulu ist schließlich in Calgary geboren. Aber vielleicht ist das gerade der Haken. Ein Bekannter sagte mir kürzlich, dass Einwanderer, die eine Prüfung über ihre Kanada-Kenntnisse ablegen müssen, mehr über ihre neue Heimat wüssten als einheimische Schulabgänger. Er sagte auch, dass nur wenige Kanadier, die im Westen Kanadas lebten, jemals an die Ostküste reisten – und umgekehrt. Die meisten hätten kein Interesse, die anderen Landesteile kennenzulernen. Kanada sei ihnen nicht spannend genug.

Bei Lulu setze ich aber auf das Prinzip Hoffnung. Hat sie sich doch gerade erkundigt, wo Inuvik liegt!

»Sagt dir Paul Gross etwas?«, frage ich sie.

Sie rührt mit dem Strohhalm im Weißwein. »Der Schauspieler?«

»Ja, richtig, Regisseur ist er übrigens auch. Und in meinen Augen der schönste Kanadier überhaupt.«

»Ohooo! Was ist denn das für eine Schulmädchen-Schwärmerei? Du hast zu viele Folgen von ›Due South‹ gesehen.«

»Wer hat das nicht?«, entgegne ich etwas verlegen.

In der Fernsehserie »Due South« spielt Paul Gross einen mutigen Mountie, das ist ein stolzes Mitglied der Royal Canadian Mounted Police, mit roter Uniform, breitrandigem Hut, Stiefeln und allem, was dazugehört. Aber in Bluejeans und abgetragenem Skipullover gefiel er mir in der Serie noch besser.

»Ich bin nicht die einzige deutsche Frau, die auf Paul Gross steht«, sage ich, als müsste ich mich rechtfertigen. »*Due South* wurde vor ungefähr fünfzehn Jahren auch in Deutschland ausgestrahlt. Die Serie hieß dort ›Ein Mountie in Chicago‹.«

»Warum nicht ›Ein Mountie in Berlin‹? Das hätte bei den Deutschen bestimmt Eindruck gemacht. Gangsterjagd auf der Reeperbahn.« Lulu kichert wie ein Backfisch. Sie sagte »Ripperbähn«.

»Die Reeperbahn ist in Hamburg. Aber kommen wir wieder aufs Thema zurück. Also Paul Gross – nein, ich meine, der Mountie in der Serie, war auch in Inuvik und Tuktoyaktuk stationiert, wenigstens hat er das im Film erzählt. Und seither will ich dorthin.«

»Mein Gott, du bist ja wirklich im Teenie-Alter stehengeblieben.« Lulu zieht an einem rosa Strähnchen.

Der Grund, warum ich ans Polarmeer will, liegt natürlich nicht nur bei Paul Gross. Als Auslandskorrespondentin sollte ich dieses riesige Land in all seinen Ausdehnungen kennenlernen. Ich kann es mir nicht jedes Mal leisten zu warten, bis mich eine Redaktion irgendwo hinschickt. Manchmal muss ich das auf eigene Rechnung tun und hinterher versuchen, die Geschichte abzusetzen. Das klappt meistens ziemlich gut.

Ich ignoriere Lulus Bemerkung mit der Teenie-Schwärmerei, nehme meinen Laptop hervor und suche im Internet eine Karte. Eine der Webseiten, die erscheinen, erregt Lulus Aufmerksamkeit. Das Bild zeigt einen gutaussehenden Mann mit Unterarmen wie Arnold Schwarzenegger. Es handelt sich um einen Vermieter von Schneemobilen in Inuvik.

»Uuuuh, was ist denn das? Schau, diese Muskeln!«
Lulus Gesicht hellt sich auf.

Ich bin verblüfft. »Ich dachte ... ich meinte ...«

Lulu grinst. »Ich stehe auf beides, meine Liebe,
Frauen und Männer. Das vergrößert die Auswahl.«

Mir verschlägt es kurzzeitig die Sprache. Aber
mein Gehirn arbeitet glücklicherweise weiter. Plötzlich weiß ich, wie ich Lulu überreden kann, mit mir in
den Yukon zu reisen. Ich gehe erneut ins Internet und
zeige ihr Bilder der Goldgräberstadt Dawson City
(von der sie übrigens auch nicht weiß, wo sie liegt).
Die Bilder von Can-Can-Tänzerinnen, Miedern und
Strapsen interessieren sie sofort. »Natürlich rein vom
fotografischen Standpunkt her«, sagt sie mit gespieltem Ernst.

Ich nehme den Faden sogleich auf. »Wir könnten in
einem historischen Bordell übernachten und dann zu
einem Striptease gehen«, sage ich.

»Ist der auch historisch?«, fragt Lulu. Jetzt habe ich
sie an der Angel.

Von der menschlichen Zehe im Whisky erzähle ich
ihr nichts. Es muss schließlich noch einige Überraschungen für sie geben.

Und in der Tat, Überraschungen gibt es auf dieser
Reise nicht zu knapp.

Zum Beispiel die Rechnung, die ich unterzeichne,
als wir in Yukons Hauptstadt Whitehorse warme
Kleidung einkaufen. Zwei Paar Arktis-Stiefel, zwei
Arktis-Parkas mit Naturpelz an der Kapuze (weil
Naturpelz nicht gefriert), Arktis-Handschuhe, die
eine Oberfläche für Nasenrotz aufweisen (man kann
sich schließlich in dreißig Grad Kälte nicht schnäu-
zen), Thermounterwäsche (wir finden nur männliche
Varianten mit der Öffnung vorne), Wärmebeutel für

die Batterien der Kameras (und im Notfall für unsere Hände und Füße), Daunenhosen, in denen wir wie Leberwürste aussehen, Arktis-Socken, Arktis-Lippenpomade, leuchtend rote Fleece-Jacken (denn die sieht man im Eis am besten). »Wenigstens werden dann unsere Leichen gefunden«, sagt Lulu, wie immer optimistisch.

»Der Norden ist wirklich eher was für reiche Leute«, seufze ich und notiere im Kopf: Ich muss auf dieser Reise nicht nur drei, sondern fünf Geschichten produzieren.

»Ach was«, sagt Lulu, »ganz Kanada ist teuer geworden. Ich erschrecke schon längst nicht mehr, wenn ich mal nach London reise und die Preise dort sehe.«

Die nächste Überraschung ist ein Mann mit einem Motorrad. Lulu, die solche Maschinen liebt, entdeckt ihn vor dem Tourismusbüro. Der Mann in der Lederkluft entpuppt sich als Investmentbanker aus Vancouver, der die ganze Strecke nach Whitehorse heraufgefahren ist. Und nicht nur das, er will auf seinem Ural-Motorrad in zehn Tagen von Vancouver bis nach Tuktoyaktuk gelangen. Fast viertausend Kilometer sind das.

Phil, so heißt er, interessiert sich offensichtlich nicht nur für die Verwaltung von Geld. »Mein Freund ist an Krebs gestorben«, sagt er. »Wir machen das zur Erinnerung an ihn.«

Seine Reise dokumentiert Phil auf einer Webseite. Auf dem Lenkrad des Motorrads steckt ein Bild seiner Frau und Kinder: »Damit ich nicht zu leichtsinnig werde.«

Es ist eine wahrhaft kanadische Kombination: Investmentbanking für drei Wochen hinter sich lassen und seine Grenzen testen – und dabei noch einen toten Freund ehren. Für einen guten Zweck tun Kanadier gerne verrückte, abenteuerliche, wilde Dinge. Der gute Zweck gibt ihnen die Motivation, Hindernisse zu überwinden, aus der Reihe zu tanzen, über die Stränge zu schlagen. Er rechtfertigt das Bedürfnis, ein wenig unvernünftig zu sein. Wo sich viele Kanadier doch sonst immer als vernünftig, bescheiden und zurückhaltend sehen.

Nicht zufällig ist Terry Fox ein kanadischer Nationalheld. Terry Fox war ein 23-jähriger Krebskranker, dem ein Bein amputiert werden musste. Mit einer Prothese durchquerte er 1980 Kanada zu Fuß, um für die Krebsforschung zu werben. In 143 Tagen legte er 5280 Kilometer zurück, musste aber wegen seiner Krankheit aufgeben und starb neun Monate später. Heute werden immer noch überall Marathons zu seinem Andenken organisiert, um Geld für die Krebsforschung zu sammeln.

Phil fügt sich in diese kanadische Tradition gut ein. Lulu inspiziert sein Ural-Motorrad. (Später wird ein besonders fleißiger Redakteur in meinem Artikel ein *Uralt*-Motorrad daraus machen, aber glücklicherweise weiß ich das in jenem Moment noch nicht.) Unser Mietauto, ein Chevy-Kastenwagen, sieht daneben völlig unglamourös aus. Aber als man uns im Tourismusbüro von Whitehorse vor den gefährlichen Spalten in der Eispiste zwischen Inuvik und Tuktoyaktuk warnt, möchte ich keinesfalls auf einem Motorrad mit Seitenwagen sitzen.

»Good luck, Phil!«, rufen wir ihm nach. »Viel Glück!«

Viel Glück und vor allem viel Geduld, das möchte ich mir selbst wünschen, als wir auf dem Klondike Highway Richtung Dawson City *bummeln*. Ich gebrauche das Wort »bummeln« mit böser Absicht, denn Lulu will alle paar Kilometer anhalten und die phantastische Landschaft fotografieren. Wir müssen 536 Kilometer nach Dawson City zurücklegen, und ich will nicht in der Dunkelheit ankommen.

Die Distanzen sind hier gigantisch. Das Yukon-Territorium ist so groß wie Deutschland, Österreich und die Schweiz zusammen.

Gemach, gemach, sage ich mir, Lulu ist glänzender Laune, und das ist alles, was zählt. Ich kann auch bei schlechter Laune gute Geschichten schreiben, aber Lulu kann keine guten Fotos schießen.

Bei den Five Finger Rapids will auch ich unbedingt aussteigen. In der Zeit des Klondike-Goldrausches von 1896 bis 1903 mussten viele Goldsucher durch diese gefährlichen Stromschnellen im Yukon-Fluss fahren, an den aus dem Wasser ragenden Felsen vorbei, immer mit dem Risiko, daran zu zerschellen. Ich erzähle Lulu davon, aber sie bemerkt nur trocken: »Diese Felsen sehen aber ziemlich harmlos aus.« Sie hat recht: In späteren Jahren wurden Teile der Felsblöcke weggesprengt. Statt der Stromschnellen sehen wir ohnehin nur eine zugefrorene weiße Fläche.

Interessanter ist der Mann, der jetzt auf die Plattform tritt, von der aus wir auf den Fluss blicken. Mein Journalistengehirn registriert sogleich den zerbeulten Cowboy-Hut, den hellen Schnurrbart und das bunte Halstuch über der abgetragenen Weste. Ein Prachtexemplar der Spezies Homo canadiensis yukonensis! Das lasse ich mir natürlich nicht entgehen.

Welch ein Glück, dass ich in einem Land lebe, dessen Bewohner fast immer mitteilungsfreudig, hilfsbereit und voller Vertrauen in die guten Absichten anderer Menschen sind. Außer sie arbeiten in einem Regierungsbüro in Ottawa.

Der Cowboy zögert nur drei Sekunden, bevor er anfängt zu erzählen, während ich filme.

O-Ton Bert Bennett

»Das hätte ich mir nie träumen lassen, dass ich jemals gefilmt würde. Aber was soll's, das Leben ist voller Überraschungen.

Mein Hobby sind Pferderennen, aber hier im Yukon machen wir das ein bisschen anders. Mein Lieblingsrennen ist das ›Rennen der schlafenden Cowboys‹. Es findet jedes Jahr in Whitehorse statt. Ja, Sie haben richtig gehört: schlafende Cowboys. Das Rennen geht so: Alle Teilnehmer gehen in die Arena, nehmen das Zaumzeug, den Sattel, die Decke und alles vom Pferd. Alle haben zwei Pferde, ein Reitpferd und ein Lastpferd. Alles liegt am Boden, und man zieht die Stiefel aus und legt sich in einen Schlafsack auf einer Schaumstoffmatratze. Dann tut man so, als ob man schläft. Die zwei Pferde sind angebunden. Nein, man liegt angezogen im Schlafsack. Das ist ein öffentliches Spektakel, und überhaupt schläft niemand im Yukon nackt im Schlafsack. Oder im Pyjama, falls Sie das interessiert. Denn wenn etwas passiert, läuft man besser nicht nackt davon. Aber die Stiefel muss man ausziehen.

Wenn das Horn geblasen wird, geht das Rennen los. Du musst ganz schnell deine Stiefel anziehen, den Schlafsack und die Schaumstoffmatratze zusammenrollen und festbinden. Dann fasst du dein Reitpferd, Decke und Sattel drauf, alles festzurren, das Zaumzeug natürlich auch. Dann kommt das Lastpferd dran, und die Kisten drauf. Ach ja, ich vergaß die Eier zu erwähnen. Man muss ein Dutzend Eier transportieren, wenn eines zerbricht, bekommt man zehn Sekunden auf die Rennzeit aufgeschlagen, als Strafe. Man muss auch fünfzig Pfund Hafer schleppen. Also, am sichersten ist es, den Hafer gleichmäßig auf die beiden Kisten zu verteilen und die Eier draufzulegen. Dann die Kisten aufs Packpferd laden, sie festbinden, das Gewicht ausbalancieren, darauf die Zeltplane, den Schlafsack und die Schaumstoffmatratze.

Wenn die beiden Pferde bereit sind, dann steigt man aufs Reitpferd, nimmt die Leine des Packpferdes, und dann geht's aus der Arena auf die Rennbahn. Du galoppierst auf der Bahn, etwa eine halbe Meile, und der Erste, der ohne ein zerbrochenes Ei wieder in der Arena ist, hat gewonnen.

Ja, ich habe das Rennen schon mehrmals gewonnen. Etwa zehn bis fünfzehn Minuten dauert das Ganze. Aber das letzte Mal wurde ich von einem Cowgirl besiegt! Ich hatte dieses alte Pferd namens Latch, sein wahrer Name ist Beethoven. Ich gebe meinen Pferden immer Namen von berühmten Komponisten. Das hätten Sie nicht gedacht, was? Und ein deutscher Komponist dazu! Aber das Pferd war alt und nicht das schnellste. *Anyway*, ich war etwa zwei Längen hinter dieser jungen Frau und konnte sie einfach nicht einholen. Sie schlug mich um drei oder vier Sekunden. Ich habe mich nach dem Rennen mit ihr unterhalten, und sie dachte immer, ich würde sie überholen. Aber so ist es, manchmal gewinnt man und manchmal verliert man.

Heute fühle ich mich wie ein Sieger. Zwei schöne Frauen, die mir zuhören. Ja, vielleicht werden es noch mehr Ladys in Deutschland sein, wenn das Ding mal im Internet ist. Und die Deutschen lieben den Yukon. Ich auch, da hätten wir ja schon etwas Wichtiges gemeinsam!«

* * *

Als wir Dawson City erreichen, vergoldet das Abendlicht die historischen Gebäude der Stadt. Wir fühlen uns mehr als ein Jahrhundert in die Vergangenheit zurückversetzt.

»Das ist ja genau wie damals, genau wie damals«, sagt Lulu ein ums andere Mal und will natürlich gleich in diesem wundervollen Licht fotografieren.

Wir steuern auf das alte Bankgebäude am Yukon-Fluss zu, dessen Fensteröffnungen mit Holzlatten verbarrikadiert sind. Dann entdeckt Lulu den Schaufelraddampfer daneben, der auf das Aufbrechen des Eises wartet. Manche Holzhäuser scheinen kurz vor dem Einsturz, was die Atmosphäre noch authentischer macht. In der baufälligen Pension Mary's Rooms hat sicher seit Generationen niemand mehr geschlafen. Aber das Downtown Hotel ist prächtig renoviert. Ein Dorf wie eine Filmkulisse, nur noch viel besser.

Lulu schwingt die Kamera wie eine Waffe. »Und wo ist das Bordell?«, fragt sie.

Sie meint Bombay Peggy's, einst ein einschlägiges Etablissement, heute zum Hotel umfunktioniert. Es gefällt uns auf Anhieb. Lulu bezieht das »Lippenstift-Zimmer«, mit Bildern von früheren Prostituierten an den roten Wänden. Ich habe es aufgegeben, mit Lulu ein Zimmer zu teilen, weil sie ständig den Fernseher laufen und die Tür zum Bad offen lässt, wenn sie drin ist. Aus Kostengründen begnüge ich mich mit einer kleinen Kammer unter dem Dach.

In der Bar studiert meine übermütige Reisegefähr-

tin die Getränkekarte, auf der Drinks Namen tragen
wie »Züchtige meinen ungezogenen Arsch« oder
»Keuschheitsgürtel« oder »50 Below Job« (die Übersetzung ist nicht jugendfrei, ich lasse sie daher weg).
Ich dagegen studiere meine Unterlagen. Schließlich
bin ich nicht zum Vergnügen hier. Und weil ich einen
Hang zur Belehrung habe, lasse ich Lulu an meinem
Wissen großzügig teilhaben, obwohl sie sich jetzt auf
einen Drink konzentriert, der dem Namen nach so
scharf sein soll, dass es einem die Unterwäsche auszieht.

»›Bloomer Remover‹ heißt er«, informiert sie mich.

Ich habe ernsthaftere Informationen für sie. Zehntausende von Goldsuchern waren ab 1897 in der Hoffnung auf sagenhaften Reichtum in den Yukon gereist,
nachdem die Kunde vom Gold im Klondike in die
Außenwelt gedrungen war. Unter ihnen war auch der
legendäre Dichter Jack London. Viele Männer und einige kühne Frauen wollten der wirtschaftlichen De-
pression in den USA entfliehen. Nach einer zermür-
benden Schiffsreise landeten die meisten in Skagway
an der nördlichen Pazifikküste, mussten mitten im
Winter Tonnen von Lebensmitteln über steile Berg-
pässe schleppen und im Sommer gefährliche Stromschnellen auf den Flüssen überwinden.

Als die armen Kerle 1898 endlich in Dawson City
ankamen, waren alle Goldgräberlizenzen bereits ver-
geben. Die meisten kehrten verarmt nach Hause zurück. Während des Booms lebten in Dawson City fast
vierzigtausend Menschen, heute sind es knapp 1900.

Eine von ihnen wirbelt jetzt zur Tür herein, und wir
sehen sie an wie einen Geist aus der Vergangenheit.
Sie hat sich eine Federboa um den Hals geschlun-
gen, eine Perlenkette baumelt über dem freizügigen

Dekolleté, der enge Rock endet über den Knien, die Seidenstrümpfe schimmern wie Perlmutt – und diese eleganten Schuhe mit hohen Absätzen! Wie um Himmels willen bewegt man sich darauf in Dawson City? Draußen liegt Schnee, die Straßen sind vereist, die Häuser sind auf Permafrost gebaut, und deshalb führen Holzstege an den Gebäuden vorbei, deren Holzplanken ebenfalls vereist sind. Wir trauen unseren Augen nicht.

»Hallo, meine Lieben«, ruft die Erscheinung mit einer rauchigen Stimme, die man eher in einem Pariser Salon erwarten würde. »Ich heiße euch im wunderschönen Dawson City willkommen! Ich bin Madeline, und ihr könnt mich fragen, was ihr wollt. Ich werde euch Rede und Antwort stehen.«

Und schon setzt sie sich an unseren Tisch und streicht sich das schwarze Haar aus dem runden Gesicht. Ich erhole mich als Erste.

»Woher wissen Sie, dass wir hier sind?«, frage ich perplex.

Madeline lässt ein Lachen hören, das tief aus ihrem großzügigen Busen kommt. »Phil hat mich informiert, dass eine deutsche Journalistin hierherkommt. Ich bin das Empfangskomitee der Stadt für illustre Gäste. Was möchten Sie denn heute Abend unternehmen?«

»Wir möchten die Can-Can-Tänzerinnen sehen«, sagt Lulu mit leuchtenden Augen. »Im Diamond Tooth Gertie's.« Ich staune. Lulu hat sich also auch eingelesen. Gertie Lovejoy war zu Boomzeiten eine Edelhure, um die sich die Goldgräber rissen, und sie trug einen Diamanten zwischen ihren Vorderzähnen.

»Ich bin die Fotografin«, fügt Lulu schnell hinzu.

Madeline spitzt ihren roten Kirschmund. »Das Casino von Diamond Tooth Gertie ist leider so früh im Jahr nicht offen. Sonst hätten Sie auch mich dort sehen können. Ich mache eine Burlesque-Show.«

»Striptease?«, rufen Lulu und ich gleichzeitig.

Madeline spielt mit ihren Perlen. »Na, ein bisschen künstlerischer, raffinierter. Schenkel, Hüften, Taille, Titten.« Sie zeigt auf die entsprechenden Regionen ihres Körpers. »Ich kann Ihnen aber meine Requisiten zeigen. Ich habe fünfzig Paar Schuhe, fünfundzwanzig Paar Strümpfe, eine Truhe voller Lingerie aus alten Tagen, zehn Paar Brustquasten, künstliche Wimpern, drei Federfächer und eine Reitgerte. Aber erst morgen. Heute müssen wir Sie einweihen.«

Einweihen? In was?

Madeline nimmt uns ins Schlepptau und stöckelt zu ihrem Auto. Wir fahren zum Downtown Hotel, wo Madeline uns in die Bar führt. Dort empfängt uns der motorradfahrende Investmentbanker Phil mit Begeisterung, und Madeline lässt die Katze aus dem Sack: Wir werden in den Sourtoe-Cocktail-Club eingeführt. Hier ist eine Warnung angebracht: Empfindliche Leser sollten einige Zeilen überspringen. Den andern sei erzählt, dass wir einen Whisky trinken müssen, in dem eine mumifizierte menschliche Zehe schwimmt.

»Die Zehe muss beim Trinken unbedingt eure Lippen berühren«, sagt Madeline.

»Ist das wirklich eine menschliche Zehe?« Lulus Gesicht drückt Skepsis aus.

»Ja, wir heben die Zehe in Salz auf und machen sie so haltbar.«

»Kommt, Mädels, das dürft ihr euch doch nicht entgehen lassen«, ruft Phil. »Ihr seid nur einmal in Dawson City!«

Die Barmaid erzählt uns eine ganze Legende

dazu. Jemand soll in einer verlassenen Waldhütte eine fünfzig Jahre alte Zehe gefunden haben, die in Rum eingelegt war. Sie wurde angeblich die erste Zehe im Sourtoe-Cocktail. Das Relikt vor uns sei allerdings die sechste Zehe, weil die anderen gestohlen oder verschluckt worden seien. Ich halte das alles für Humbug, aber das macht die Prozedur nicht leichter für mich. Die Zehe sieht runzlig und braun aus. Als Journalistin muss man sich dennoch Erfahrungen unterwerfen, die nicht immer einfach sind, aber Informationen aus zweiter Hand genügen manchmal nicht.

Also bringe ich das Unvermeidliche hinter mich, unter dem Applaus meiner Begleiter. So schnell habe ich noch nie einen Whisky gekippt. Ach, was sage ich da, ich habe in meinem Leben überhaupt erst einen oder zwei Whiskys getrunken. Mit dem Whisky kippt auch die Zehe auf meine Lippen. Es ist nicht gerade der erhabenste Moment meines Lebens. Aber ich werde anschließend mit einer Urkunde bedacht und in den Club der morbiden Zehenküsser aufgenommen. Ob Lulu wirklich die Zehe mit ihren Lippen berührt, kann ich nicht bezeugen. Sie behauptet es aber inbrünstig.

Der Abend endet glücklicherweise doch noch mit einem erhabenen Moment. Als ich mit Phil zum Hotel spaziere (Lulu ist mit Madeline eine Kneipe weiter gezogen), kommen wir an einem Haus vorbei, auf dessen Fassade eines der populären Gedichte von Robert Service gemalt ist. Phil liest es mir laut vor. Es heißt »Der Zauber des Yukon« und handelt von einem jungen Goldsucher, der vor lauter Suchen nach Reichtum seine Jugend und fast sein Leben verliert. Eines Tages stößt er tatsächlich auf Gold und macht ein

Vermögen damit, findet aber heraus, dass das Reich-sein seine Erwartungen nicht erfüllt. »Und irgendwie ist das Gold nicht alles«, endet das Gedicht.

Phil liest den letzten Satz mit Pathos, legt eine Pause ein und sagt dann: »Vielleicht bin ich als Investmentbanker nicht die richtige Person, solches Zeug zu verbreiten.«

Ich erinnere ihn daran, dass Robert Service, ein nach Kanada ausgewanderter Brite, sich im tiefsten Herzen auch nicht für die richtige Person hielt, solche Zeilen über den Yukon und den Goldrausch zu schreiben.

Die Balladen, die ihn reich und berühmt machten, verfasste er, während er für eine Bank in Whitehorse arbeitete. Das Buch mit den Versen kam 1907 heraus und wurde sofort ein Bestseller. Erst ein Jahr später erhielt Robert Service eine Stelle in der Bankfiliale von Dawson City, aber da war der Goldrausch schon zehn Jahre vorbei.

Service fühlte sich deswegen immer wie ein Angeber, der seine Schilderungen nicht direkt erlebt hat. Deshalb paddelte er in einem Anflug von Heldentum in einem Kanu den Mackenzie-Fluss hinunter, ein äußerst gefährliches Unterfangen, das ihn leicht hätte das Leben kosten können.

Diese Episode hat mich immer fasziniert. Karl May hat sich sicher nie geschämt, dass er über Abenteuer in Ländern schrieb, die er nie bereist hatte. Und Theodor Fontane verspürte bestimmt auch nicht den Drang, auf einem brennenden Schiff über den Erie-See zu fahren, damit er sich legitimiert fühlen konnte, die Ballade »John Maynard« zu schreiben. Aber Robert Service war begeistert vom Yukon und wollte seinen Mann stehen.

Die Kanadier dankten es ihm, indem sie ihn zu ihrem Lieblingsdichter machten, obwohl er stets ein britischer Staatsbürger blieb und sein Leben an der französischen Riviera beschloss. Was mir diesen Dichter sympathisch macht, ist die Tatsache, dass er Auslandskorrespondent war. Er berichtete in den Jahren 1912/13 für die kanadische Zeitung »Toronto Star« über den Krieg auf dem Balkan.

»Dawson City ist wirklich ein Hit«, sagt Phil. »Ich habe schon eine Handvoll Exzentriker kennengelernt, die hierhergezogen sind. Zum Beispiel einen Lehrer für autistische Kinder, der im Sommer als Croupier fürs Casino arbeitet. Oder eine Filmregisseurin, die an einem Trickfilm über ihre erotischen Eskapaden in den 1970er Jahren arbeitet. Oder die Juwelierin, die in drei Monaten mit einem Floß auf dem Yukon River von Dawson City bis an die Beringsee trieb und jedes Jahr als eine von wenigen Frauen auf die Elchjagd geht.«

Ich unterbreche ihn. »Ich bin eigentlich wegen der Goldsucher hier. Dieses Nest soll voll davon sein, aber ich hab noch keinen einzigen getroffen. Ich will endlich mal ein richtiges Goldnugget in der Hand halten!«

Phil nickt. »Warum nicht ein Goldnugget küssen? Das ist sicher angenehmer als eine tote Zehe.«

»Das werde ich ganz sicher tun, ich schwör's.« Und ich halte zwei Finger in die Höhe.

Woran man sehen kann, dass mir der Whisky schlechter bekommen ist als die Zehe, die darin schwamm.

Am nächsten Tag führe ich diesen Unsinn tatsächlich aus. Als ich nach dem Frühstück durch die Straßen wandere, quatsche ich jeden Mann an, der in meinen Augen wie ein Goldgräber aussieht. Oder wie ein Prospektor, so nennt man das hier. Ich habe Glück. Mir begegnet Isaac, der Werkzeuge einkauft und mir versichert, dass Leute wie er immer noch eine Chance hätten, eine Goldader zu entdecken. Seit zwanzig Jahren gräbt er in der Umgebung von Dawson City. »Man ist immer nur eine Schaufel entfernt von tausend Feinunzen«, sagt er.

Ich rechne rasch nach. Tausend Feinunzen, die wären heutzutage mehr als eine Million Dollar wert.

Jetzt packt auch mich das Goldfieber. Ich eile zum Hotel zurück und schleppe eine übernächtigte Lulu zum Chevy-Bus. Wir fahren durch eine Landschaft, die aussieht, als hätte man sie durch den Fleischwolf gedreht. Die Goldsucher haben jeden Quadratmeter Erde durchwühlt. Und immer noch lässt man den Boden nicht in Ruhe, es könnte ja irgendwo noch Gold zu gewinnen sein.

Beim Claim 33 halten wir an, es ist Ryans Goldsuch-Territorium. Ryan lebt in einem Zelt, nicht weit von Bonanza Creek und Eldorado Creek, jenen beiden Bächen, in denen 1896 das erste Gold gefunden wurde. Er lädt uns ein, ins Zelt zu kommen, und bietet uns Bier an. Schön warm ist es beim Holzofen, trotz des Schnees rundherum. Ryan zeigt uns seine Goldpfannen. Darin wäscht er Kies und Sand und Dreck aus dem Bach, wie die Leute vor über hundert Jahren. Das schwerere Gold sinkt auf den Pfannenboden und kann so herausgeklaubt werden.

Bevor wir ihn fragen können, öffnet Ryan eine Dose mit Nuggets. »Das ist nach heutigen Preisen neunzigtausend Dollar wert«, sagt er. »Halten Sie mal, dann sehen Sie, was für ein Gewicht Gold hat.«

Und schon halte ich also wirklich drei Nuggets in

206

der Hand. Dann drücke ich meine Lippen auf eines der Stücke, einfach so. Wer kann schon sagen, er hätte ein Goldnugget in Dawson City geküsst!

Kaum geht mir dieser Gedanke durch den Kopf, sagt Ryan: »Das hab ich auch gemacht, als ich das Nugget in die Finger bekam.«

Es ist wirklich schwierig, noch exzentrischer als die Exzentriker von Dawson City zu sein.

»Können wir Sie beim Goldsuchen fotografieren?«, fragt Lulu.

Ryan lacht. »Damit fange ich erst nach der Schneeschmelze an. Wir brauchen das Wasser der Bäche zum Goldwaschen.«

»Siehst du«, klagt Lulu später im Auto, »warum sind wir so früh hierhergekommen. Keine Can-Can-Girls, das Casino ist auch noch nicht offen, keine Fotos vom Goldwaschen. Du hast mich unter falschen Versprechungen hergelockt.«

17

Rettung aus dem Schnee

Am nächsten Morgen verdüstert sich Lulus Stimmung weiter. Wir stehen im Schnee vor der Informationstafel für den Dempster Highway, einer abenteuerlichen Schotterstraße, die von Dawson City nach Inuvik führt. Dort wollen wir rechtzeitig zum Frühlingsfestival der Eskimos eintreffen. 671 Kilometer lang ist die Strecke, und wir planen sie in zwei Tagesetappen zurückzulegen. Das heißt, es ist *mein* Plan. Lulu indes meldet Widerstand an, als sie vorliest, was wir alles mitnehmen müssen: »Erste-Hilfe-Koffer, Signalraketen für den Notfall, Camping-Kocher und Zündhölzer, Reservekanister mit Benzin … Stellen Sie sicher, dass Ihr Fahrzeug in gutem Zustand ist … Autoreifen richtig aufgepumpt …«

Lulu holt ihr Handy aus der Jackentasche, wirft einen Blick darauf und steckt es mit einem Seufzer weg. »Natürlich kein Empfang«, sagt sie. »Wie holen wir Hilfe, wenn etwas passiert?«

Das ist eine heikle Frage. Ich gestehe ihr, dass wir nicht mit einem Satellitentelefon ausgerüstet sind. Zu meiner Verteidigung kann ich nur anführen, dass ich die örtliche Polizei über unsere Route informiert und versprochen habe, ich würde sie benachrichtigen, wenn wir abends im einzigen Motel am Dempster Highway eintreffen.

Nach einigem Hin und Her kann ich Lulu überreden, den Chevy-Bus zu besteigen. Wir fahren – endlich. Wenig später erscheint ein unübersehbares Warnschild an der Straße: »Nächste Tankstelle 370 Kilometer.«

Lulu schaut resigniert nach vorne. »Glücklicherweise habe ich nicht Mann und Kinder«, sagt sie.

Ich versuche die Stimmung zu heben. »Sieh mal, die Sonne scheint. Wir haben beste Bedingungen. Der Winter ist gar keine schlechte Reisezeit. Es ist viel leichter, über hartgepressten Schnee zu fahren als im Sommer, wenn es regnet und sich die Straße in einen Morast verwandelt.«

Aber dann mache ich den Fehler, ihr zu erzählen, wie ich im Hotel in Dawson City ein kanadisches Magazin namens »Up here« durchgeblättert hatte und auf eine interessante Kolumne gestoßen war. Der Autor, ein Kanadier, ist als Tramper in die Arktis gereist, weil er über Begegnungen mit Einheimischen auf seiner Reise schreiben wollte. Er landete am Dempster Highway und streckte seinen Daumen raus. Und wer nahm ihn mit? Zweimal waren es deutsche Touristen, und die letzte Etappe fuhr er mit einer gemischten Gruppe aus Australiern, einem Holländer, einer Französin und zwei Liechtensteinerinnen. Seine Schlussbemerkung hat sich mir eingeprägt, und ich zitiere sie nun meiner unwillig zuhörenden Reisebegleiterin: »Die ausländischen Touristen haben offensichtlich im Gegensatz zu den meisten Kanadiern etwas herausgefunden: nämlich dass der Norden vielleicht schwer zu erreichen, aber die Anstrengung wert ist.«

»Das ist nun wirklich das Dümmste, das ich seit dem Frühstück von dir gehört habe«, schimpft Lulu, »denn du hast im Gegensatz zu vielen Ausländern

sicher noch nie den höchsten Berg in Deutschland er-
klommen, und der wäre sicher auch die Anstrengung
wert.«

Recht hat sie. Ich hüte meine Zunge und vertraue
darauf, dass die großartige Landschaft ihre Wirkung
auf Lulu entfalten wird. Schließlich ist sie Fotografin.

Und so kommt es dann auch. Immer wieder heißt
sie mich anhalten und kraxelt mit der Kamera aus
dem Chevy. Schneehühner mit dem unaussprech-
lichen Namen Ptarmigan, ein Fuchs und sogar eine
Herde Karibus an einem Berghang kommen ihr vor
die Linse. Das ist viel Tierwelt in relativ kurzer Zeit.
Aber sonst ist auf dem Dempster so gut wie nichts
los: In acht Stunden (wir beeilen uns nicht gerade)
sehen wir ganze fünf Fahrzeuge.

Gegen Abend nähern wir uns dem Eagle Plains
Hotel und sind guter Stimmung. Plötzlich ruft Lulu:
»Halt, Fotostopp!«

Ich gehorche wie immer und fahre sogar auf ihren
Wunsch hin am Straßenrand einige Meter zurück.
Weiß der Teufel, was sie schon wieder gesehen hat.
Und dann passiert es: Der Chevy kippt leicht auf die
linke Seite, und die Reifen graben sich in weichem
Schnee ein. Ich lasse den Motor aufheulen, aber der
Kleinbus rührt sich nicht.

»O nein!«, stöhne ich.

»Au Backe«, sagt Lulu.

Wir steigen aus, um uns dem Unvermeidlichen zu
stellen. Wir stecken fest. Keine Chance, dass wir uns
selber befreien können.

Lulu fotografiert ungerührt die Katastrophenszene.
Dann fragt sie: »Was tun wir jetzt?«

Ich verschränke die Arme, um mich zu trösten. »Wir

müssen warten, bis jemand vorbeikommt und Hilfe vom Eagle Plains Hotel bringt.«

Lulu schaut mich mit hochgezogenen Augenbrauen an. »Wie viele Fahrzeuge haben wir heute gesehen?«

»Es geht auf den Abend zu«, sage ich und versuche mir Mut zu machen, »da treffen sicher mehr Leute beim Hotel ein.«

Ich öffne die Seitentür und greife nach der Teekanne.

Lulu wandert am Straßenrand entlang.

»Wohin gehst du?«, rufe ich ihr nach.

»Aufs Klo.«

»Entferne dich nicht vom Wagen, du kannst dich doch hinter der Motorhaube verstecken.« Ich merke, dass ich ein wenig nervös werde.

Zu meinem Erstaunen kommt Lulu zurück. Kaum hat sie sich in Position gekauert, höre ich etwas. Einen Motor! Ist das eine akustische Fata Morgana?

In diesem Moment sehe ich einen großen Pick-up-Truck um die Kurve biegen. Ich fuchtle wie wild mit meinen Armen. Der Pick-up hält, und zwei junge Männer steigen aus. Ich muss gar nicht viel erklären, die beiden erkennen die Notlage sofort.

»Ja, die Schulter ist immer gefährlich, sie sieht wie harter Schnee aus, ist aber total weich«, sagt der eine. Der andere hat bereits ein Seil von der Ladefläche geholt. »Den holen wir raus, kein Problem«, sagt er.

Die Rettungsaktion dauert zwei Minuten. Wir können unser Glück nicht fassen.

Wie sich herausstellt, arbeiten die beiden Männer für eine Telefongesellschaft und führen eine Reparatur an einem Fernmeldeturm in der Nähe aus.

Wir versprechen unseren Rettern eine Runde Bier

im Eagle Plains Hotel, wo wir zwanzig Minuten später ankommen.

»Notfalls hätten wir auch laufen können«, sagt Lulu, aber das zeigt wieder mal, wie schlecht Leute, die immer nur Auto fahren, Distanzen einschätzen.

Das Eagle Plains Hotel erscheint uns als Palast, obwohl es alles andere ist. Europäer würden die Herberge, in der wir logieren, wahrscheinlich nur mit einem Augenzwinkern »Hotel« nennen. Aber wer abends nach einer langen Fahrt endlich die einzige Unterkunft im Umkreis von 350 Kilometern erreicht, für den ist das Eagle Plains eine Offenbarung.

Dass uns in der Bar eine Lasagne mit Salat serviert wird, halten wir für ein kleines Wunder. Nach Stunden der Einsamkeit gibt es plötzlich Menschen, Essen, Zivilisation! Letztere sieht im Eagle Plains allerdings ziemlich eigenwillig aus: Hinter uns steht ein ausgestopftes Karibu mit einem riesigen Geweih, umgeben von einem Dutzend müder Topfpflanzen. An den Fenstern drapieren sich Gardinen wie graue schwere Wolken.

Ein ausgestopfter Elchschädel sieht uns beim Essen zu. Überall hängen Schwarz-Weiß-Aufnahmen aus der bewegten Geschichte dieser Gegend. Hinter der Bar funkeln Gläser und Flaschen.

»Das ist alles so herrlich authentisch«, schwärme ich. »Versailles ist kalt und abweisend dagegen.«

Lulu sieht mich prüfend an und schüttelt dann langsam den Kopf. »Weißt du eigentlich, dass manche Leute in dieser Eiswüste den Verstand verloren haben? Sie sind einfach durchgedreht.«

»Von so einem bisschen Fahren passiert einem doch nichts«, entgegne ich, wieder voller Selbstvertrauen. »Und diese warme Oase ist der reinste Luxus im Vergleich zu dem, was die Leute früher durchgemacht haben.« Ich zeige auf eins der Schwarz-Weiß-Fotos an der Wand: »Jack Dempster zum Beispiel, der hat noch gewusst, was es heißt, sich in all dem Schnee zurechtzufinden.«

Wahrscheinlich hört mir Lulu nicht wirklich zu, denn die Bar füllt sich nun mit interessanten Gestalten. Dennoch erliege ich der Illusion, dass alle Kanadier von William »Jack« Dempster so fasziniert sein müssten wie ich. Er war ein Inspektor der Royal Canadian Mounted Police, und seine langen Hundeschlittenfahrten, manche bei 40 Grad unter null, sind legendär. Es waren Dempster und sein Team, die sich im Winter 1910 auf die Suche einer verschollenen Polizei-Patrouille machten. Dempster fand die vier Männer nach rund drei Wochen bei extrem schlechtem Wetter tot auf. Die unglückselige Patrouille, die nach Dawson City gelangen wollte, hatte sich in den Bergen verirrt und versucht, wieder zu ihrem Ausgangspunkt in Fort McPherson in den Northwest Territories zurückzukehren. Die Männer starben nur 56 Kilometer vom Fort entfernt.

Aber Tod und Verderben sind Lulu gerade sehr fern. Sie hat unter den Barbesuchern einen alten Bekannten entdeckt und winkt aufgeregt. Auf der 1978 vollendeten Straße, die nun Jack Dempsters Namen trägt, hat auch Investmentbanker Phil das Eagle Plains Hotel erreicht. Etwas lädiert wirkt er, aber sein Gesicht strahlt.

»Es hat mich ganz schön von der Straße geworfen«, legt er gleich los. »Wie eine Eisbahn war das, mein Gott! Glücklicherweise habe ich mir nichts gebrochen. Meine Maschine ist auch mit einer Schramme davongekommen.« Er setzt sich mit seinem Freund, der ihn im Ford Explorer begleitet, zu uns.

Ich gehe an die Bar, um unseren Rettern und dem müden Phil eine Runde Bier zu spendieren. Die Barmaid verstrickt mich sofort in ein Gespräch. Dabei erfahre ich, dass die Frauen des Nordens mindestens so abenteuerlich sind wie die Männer. Wenn die Bar um zehn Uhr abends zumacht, fährt die Barmaid mit ihrem Truck noch in derselben Nacht nach Dawson City. Dort verbringt sie die freien Tage mit ihrem Freund. Mir steht der Mund offen. Vierhundert Kilometer. Bei Nacht. Allein. Auf dieser einsamen Straße!

»Ach, ich habe meine beiden Hunde bei mir«, sagt die Barmaid und winkt ab. »Ich bin sowieso ein Nachtmensch.«

Morgens zwischen drei und vier Uhr werde sie in Dawson City sein, wo sie auch ihre Post abholt. Eine sechsstündige Spazierfahrt zum Briefkasten. Ist doch keine Sache.

Die Barmaid ist, wie sich herausstellt, auch eine Expertin in Sachen Nordlichtern. Mit einer Wahrscheinlichkeit von siebzig Prozent könne man sie in dieser Nacht sehen, sagt sie: »Zwischen Mitternacht und ein Uhr morgens ist es meistens am besten.« Sie verspricht sogar, uns zu wecken, falls es etwas zu sehen gibt.

Eine Frau, ein Wort: Nachts um ein Uhr stehen wir dick eingepackt wie Michelin-Männchen vor dem Hotel und starren gebannt in den Himmel. Grünes fluoreszierendes Licht flackert vor dem schwarzen Hintergrund, geheimnisvoll wie gasförmige Sternenschleier. Spiralen, die sich auflösen und dann anderswo wieder erscheinen. Ein atemberaubender Spuk.

»Himmelskino«, sage ich.

Lulu verschiebt ihr Stativ. »Warum nur Grün?«, murrt sie. »Ich brauche Farben. Gib mir Farben! Grün ist monoton.«

Die Lichter bleiben aber grün. Innerlich sage ich mir »Grünes Licht für unsere Reise« und nehme es als gutes Omen. Lulu packt ihr Stativ ein. Wir überqueren den Parkplatz vor dem Haupteingang des Hotels. Der Motor eines Lastwagens röhrt unaufhörlich, bei dieser Kälte wird er nicht abgestellt. Der Trucker hat seinen Namen stolz auf die Tür pinseln lassen: Dennis Bates. Den will ich mir morgen vorknöpfen.

O-Ton Dennis Bates

»Gemütlich, mein Truck, nicht wahr? Ich habe alles in der Kabine, Mikrowelle, Kühlschrank, und hier ist mein Bett. Ich brauche gar nicht aussteigen. Nackte Damen? Ach, die auf dem Kalender. Ja, die gehören natürlich auch dazu. Die leisten mir Gesellschaft. Aber eine lebende Frau wär natürlich noch besser. Sie muss nicht mal so hübsch wie die Kalender-Girls sein. Ich seh ja auch nicht wie ein Filmstar aus.

Den Dempster mach ich schon seit mehr als zwanzig Jahren, den kenn ich wie meine Westentasche. Es ist eine Höllenstraße. Das Eis? Nö, nicht wegen dem Eis, es ist der Wind. Ich hab schon Trucks aus dem Graben geholt. Da oben, in der Hurrikan-Allee an der Grenze zu den Northwest Territories. Da werdet ihr ja auch noch vorbeikommen. In der Hurrikan-Allee, da bläst der Wind wirklich hart durch. Es gibt Zeiten, da siehst du keine drei Meter weit. Wind und Schnee. Das kann kilometerweit so sein.

Der Wind hat meinen Anhänger schon ganz auf

die Seite gedrückt. Da pumpt das Herz ganz schön schnell, das können Sie mir glauben.

Aber den Dempster mag ich wirklich, es gibt ja fast keinen Verkehr hier. Ob es einsam ist? Ich hab mein Satellitenradio, was Sie jetzt hören, ist der Trucker-Sender. Ich hab aber nicht immer Empfang. Ich bin mein eigener Boss, der Truck gehört mir, ich kann so ziemlich machen, was ich will. Jetzt gerade transportiere ich Lebensmittel nach Inuvik. Ich fahr meistens Tempo 105, nur wenn mir ein Auto entgegenkommt, geh ich auf 60 oder so runter. Der Regen im Sommer ist schlimmer als das Eis, das kann ich Ihnen sagen. Das wird total rutschig. So wie dicker Schlamm.

Dieser Truck hat 176 000 Dollar gekostet. Sie ist jetzt fünf Jahre alt. Ja, natürlich ist der Truck eine SIE. Also, sie ist jetzt fünf Jahre alt, aber sie hat mich nie im Stich gelassen. Nur einmal hat der Motor schlappgemacht, ich musste 'nen neuen einbauen. Sie hat eine Million Kilometer auf dem Buckel, ja, ja, so viel, jetzt ist sie ein bisschen verbraucht. Ich werd bald einen neuen Truck kaufen. Das ist leichter als bei einer Frau, die kann man nicht einfach ersetzen, wenn sie alt wird! Aber dieser Truck hat mich nie enttäuscht auf dem Dempster. Sie ist wirklich all die Jahre eine gute Maschine gewesen. Ich hab auch gut auf sie aufgepasst, muss ich sagen. Ich hab sie Meilenschlucker getauft. Kein romantischer Name, ich weiß, die nächste heißt vielleicht Douriss! Ist das nicht 'n deutscher Name?«

∗∗∗

Weiß der Kuckuck, wo Dennis Bates den Namen Doris aufgelesen hat. Ich komme nicht mehr dazu, ihn zu fragen, denn Lulu will aufbrechen. Sie hat plötzlich Angst, dass sich das schöne Licht verflüchtigt, das derzeit auf der Landschaft liegt. Sie knipst und knipst und knipst.

Aber als wir Richtung Norden weiterfahren, bekommt sie Appetit auf Gefahr.

»Was hat der Truckfahrer gesagt?«, fragt sie. »Schnee und Wind? Man sehe keine zehn Meter weit? Sind wir hier nicht in der Hurrikan-Allee?«

Ich schalte einen Gang hinunter. »Sag mal, höre ich nicht recht oder beklagst du dich über den Sonnenschein und den blauen Himmel?«

»Ich hab mir das dramatischer vorgestellt, Schneestürme und so.«

»Aber das ist doch perfektes Fotowetter, was willst du noch mehr? Sieh dir die Berge an und diese karge Wildheit!«

»Ja, ja, das seh ich ja, aber ich will meinen Kollegen ein paar Horror-Stories erzählen können. Die denken sonst, das sei ein Spaziergang im Park gewesen.«

»Lulu, ich glaube, du kommst langsam auf den Geschmack. Aber was ist denn das?«

Ein Ungetüm kommt uns entgegen. Ein Schneepflug. Wir sind also nicht mutterseelenallein in dieser eisigen Wildnis.

Vor uns windet sich der Dempster Highway wie eine graue Schlange über die weißen Hügel. Wir machen halt am Nördlichen Polarkreis und stoßen mit einem Glas Weißwein auf diesen hehren Augenblick an. Lulu schafft es sogar ohne Eiswürfel im Wein.

Einige Kilometer weiter ruft sie: »Fotostopp!«

»Nein, das geht nicht«, sage ich.

»Was soll das heißen, geht nicht?«

»Hast du das Schild nicht gesehen? Dieser Teil der Straße ist eine Flugzeugpiste. Anhalten und Parken verboten.«

»Na, das gibt's doch nicht! Eine Straße als Flugzeugpiste! Aber du musst trotzdem anhalten. Ich will zurück, das Schild fotografieren.«

Gegen Lulu kann ich einfach nicht gewinnen.

Wir überqueren die Grenze zu den Northwest Territories und fahren Richtung Fort McPherson, wo die Polizisten begraben sind, die Jack Dempster erfroren auffand.

Ja, und da treffen wir tatsächlich auf richtige Polizisten, nicht in Gräbern, sondern hinter uns mit Blaulicht.

»Was zum Teufel –« Ich halte am Straßenrand und fahre die Scheibe nach unten.

»Lass mich das machen«, sagt Lulu, »du bist nicht hartgesotten genug für die.«

Ein junges männliches Gesicht erscheint am offenen Fenster. »Hallo, Ladies, wohin des Wegs?«

»Nach Inuvik«, sagt Lulu.

»Was macht ihr dort?«

»Wir sind Touristen. Wir wollen die Schlittenhunderennen sehen.«

»Habt ihr Alkohol bei euch?«

Lulu verzieht keine Miene. »Nein.«

Der Polizist mustert uns. »Es ist hier nämlich verboten, Alkohol im Auto mitzuführen.«

Mir fällt die Weißweinflasche ein, die nur halb getrunken in unserer Proviantkiste steckt.

»Klar«, sagt Lulu. »Aber können Sie uns vielleicht sagen, ob wir einen Kaffee kriegen in Fort McPherson?«

»Ja, das Lokal ist noch eine Stunde lang offen. Fahren Sie einfach ins Dorf rein. Das Café ist neben der Tankstelle.«

Dann wünscht uns die Polizei der Northwest Territories eine gute Reise.

Lulu steht der Triumph ins Gesicht geschrieben.

Ich aber bin verärgert. »Ich will auf meinen Reportagereisen nichts Ungesetzliches tun, hörst du? Ich habe den saubersten Ruf, den man sich vorstellen kann, und daran will ich nichts ändern.«

»Werd doch ein bisschen lockerer, wir sind hier im Wilden Norden und nicht in ... in ...«

»Frankfurt. Schon mal von Frankfurt gehört, oder liegt das außerhalb deines Wissensbereichs?«

Wir sind jetzt beide wirklich sauer. Erst der Kaffee in Fort McPherson taut die Eiszeit zwischen uns auf.

Und noch etwas erfüllt uns mit Befriedigung: Wir lernen von einem Einheimischen, wie man Tsiigehtchic richtig ausspricht. Tsiigehtchic ist der Eskimo-Name für den Weiler Red Arctic River, der am Mackenzie-Fluss liegt. Wir überqueren das Eis auf dem längsten Fluss Kanadas, an dessen Ufer die Sommerfähre ihren Winterschlaf macht.

»Eigentlich solltest du gar nicht Eskimo sagen, denn das heißt Rohfleischesser, und das finden sie herablassend«, belehrt mich Lulu, in einer Umkehr der Rollen. »Sie nennen sich Inuit, was so viel wie Menschen bedeutet.«

Das ist ein Thema, das mich in Fahrt bringt. Denn jedes Mal, wenn ich in einem Artikel die Bezeichnung Eskimo verwende, erhalte ich entrüstete E-Mails von Lesern, die mir vorwerfen, dass die Bezeichnung politisch inkorrekt sei.

»Meine Liebe, die Eskimos am Mackenzie-Delta

möchten keineswegs Inuit genannt werden«, sage ich, »sie bezeichnen sich als Inuvialuit.«

»Das hast du mir schon früher mal erzählt. Was heißt denn das, Inuvialuit?«

»*Die wirklichen Menschen.*«

»Oh, das hätte mir auch einfallen können.«

»Und wenn ich einigen Experten glauben soll, dann stimmt auch nicht, dass die Übersetzung von Eskimo Fleischesser heißt, sondern dass es von einem Wort der Ojibwa-Indianer stammt und bedeutet: Schneeschuhflechter.«

»Du hast dich ja wieder mal eingelesen.«

»Ja, und deshalb weiß ich auch, dass Eskimo in Alaska kein Schimpfwort ist, sondern ein allgemein akzeptierter Überbegriff für all die unterschiedlichen Eskimovölker.«

»Wie sagen denn die Deutschen?«

»Auch Eskimo, und das ist überhaupt nicht abschätzig gemeint.«

»Ich nenn mich fortan Inuvialuit, denn ich halte mich ebenfalls für einen *wirklichen Menschen.*«

Womit Lulu wieder mal beweist, dass sie die gewitztere von uns beiden ist.

18

Walfett und Rattenschwänze

Ich weiß, dass es ein Fehler ist, mit Lulu ein Zimmer zu teilen. Aber das Vier-Sterne-Hotel in Inuvik ist so teuer, dass mir keine andere Wahl bleibt. Wir hätten auch einfache Chalets außerhalb des Dorfes mieten können, aber während der Dauer des Frühlingsfestivals wollen wir in der Stadtmitte bleiben. Unser Hotel (diesmal verdient es diesen Namen!) steht gleich gegenüber der bekannten katholischen Kirche, die einem Iglu nachempfunden ist. Wir sind hundemüde und beziehen gleich das Zimmer. Die beiden Einzelbetten sind so groß, dass man eine ganze Familie darin unterbringen könnte. Kanadische Dimensionen – wie schön!

Kaum bin ich halbwegs eingeschlafen, höre ich, wie Lulu sämtliche Decken zurückschlägt. Auch mir ist warm. Und es wird immer wärmer. Lulu steigt aus dem Bett und fängt an, einen Regler für die Heizung zu suchen. »Ich halte diese Hitze nicht aus«, sagt sie laut.

Wir versuchen es mit allen möglichen Knöpfen, aber nichts hilft. Lulu ruft den Empfang an, aber die können erst am nächsten Morgen einen Techniker hochschicken. So verbringen wir in Inuvik, das knapp zwei Grad nördlich des Polarkreises liegt, die wahrscheinlich heißeste Nacht unseres Lebens.

Am nächsten Morgen wirkt die Kälte draußen wie

ein Schock – obwohl es »nur« zwanzig Grad unter null sind. Ich vermute, dass wir die einzigen Menschen in Inuvik sind, die sich chemische Wärmeerzeuger in die Stiefel gestopft haben. Wie exotische Vögel trapsen wir zum gefrorenen Mackenzie-Fluss hinunter und mischen uns unter die Einheimischen: Eskimos, Weiße und Dene-Indianer, die sich am Ufer zu allerlei Wett- kämpfen treffen. Lulu beklagt sich zu meiner Erleich- terung überhaupt nicht über die arktischen Tempera- turen. Wie im Fieber steigt sie auf eine provisorische Tribüne und richtet ihre Linse auf Frauen, die sich mit spitzen Messern über tote Nagetiere beugen.

»Wer kann die Bisamratten am schnellsten häu- ten?«, ruft der offizielle Ansager in ein viel zu lautes Megaphon.

»Eins, zwei, drei, los!« Auf der Bühne schneiden die Teilnehmerinnen mit geübten Griffen durch das Rat- tenfell, angefeuert vom Publikum. Es geht erstaun- lich schnell, und schon hält eine ältere Eskimo-Frau triumphierend eine gehäutete Bisamratte hoch.

»Eine Minute und sechzehn Sekunden!«, jubelt der Ansager.

Jetzt wollen es die Männer versuchen, aber sie ma- chen aus den armen Ratten Hackfleisch, und das Fell hängt immer noch dran. Plötzlich sehe ich Phil, den Motorradfahrer, in der Menge. Er hat es also auch nach Inuvik geschafft. In dicken Stiefeln wackelt er auf mich zu.

»Im Kochzelt wird gebratene Bisamratte als De- likatesse angeboten«, sagt er. »Das müsst ihr unbe- dingt probieren.«

Wir steuern auf das Esszelt zu, während Lulu da- mit beschäftigt ist, die herausgeputzten Eskimo- Frauen abzulichten. Manche tragen die traditionelle Parka-Jacke mit der auffälligen Pelzbordüre an der Kapuze, die man hier »Sunburst« nennt, einem Kranz von Sonnenstrahlen ähnlich. Dagegen kommt mir meine Arktis-Jacke aus dem Kaufhaus ziemlich dilettantisch vor. Noch dämlicher fühle ich mich, als ich ein Stück gebratene Bisamratte in den Mund schiebe und von einer Gruppe Zuschauer beobachtet werde. Ich muss es gleich wieder von mir geben. Der Moschus-Geschmack ist überwältigend.

Phil betrachtet den Rattenbraten auf seinem Pappteller. »Mhm, ein bisschen ungewöhnlich mit diesen gelben Zähnen dran«, sagt er.

Die Umstehenden feuern ihn an. »Bisamratte ist selten zu kriegen«, sagt ein Eskimo. »Es ist schwierig, sie zu fangen.«

Phil isst ein bisschen davon und knabbert dann am Rattenschwanz. »Knusprig«, sagt er und erhält Applaus.

Ich überwinde mich und versuche ebenfalls den Rattenschwanz. Tatsächlich, der ist genießbar.

Phil hat seine kulinarische Tour erst begonnen. Er will alles durchprobieren, Rentier-Gulasch, getrocknetes Elchfleisch, Frühlingsgans. Und Walfett. Aber da zögert die Eskimo-Frau im Esszelt. »Das darf ich Fremden nicht verkaufen«, sagt sie. »Das ist ein Gesetz.«

Phil ist enttäuscht. »Ich bin eigens mit dem Motorrad von Vancouver hierhergefahren, um Walfett zu probieren. Ich habe nur Gutes darüber gehört.«

Die Frau zögert und überlegt. »Sind Sie halb-halb?«, fragt sie. Halb Eskimo, halb Weißer, meint sie, ohne es auszusprechen. Phil versteht sofort.

»Ja, ich bin halb-halb«, sagt er wahrheitsgemäß. Halb Kanadier, halb Däne.

»Dann ist es gut«, sagt die Frau und reicht ihm strahlend einige Würfel Walfett.

»Na, wenn das keine Lektion in Eskimo-Diplomatie ist«, sagt Phil und kaut auf einem Würfel. Er reicht mir auch einen. »Eskimo-Bonbon nennen sie das hier.«

Zu meiner Verteidigung muss ich sagen, dass ich den Würfel nicht gleich wieder ausspucke, sondern tapfer darauf herumbeiße. Ein ranziger Geschmack mit undefinierbaren Nuancen. Walfett oder Muktuk kommt auf meine Liste der Speisen, die ich nicht noch einmal versuchen möchte, aber es trotzdem aus Höflichkeit tun werde. Die geröstete Bisamratte bleibt von der Liste verbannt.

Als Nächstes kommt Uqotok an die Reihe: kochender Ahornsirup, der auf zerstampftes Eis gekippt und in abgekühlter Form rasch mit einem Holzspachtel aufgerollt wird. Das Ahorn-Speiseeis reiche ich einem kleinen Mädchen, weil mir kalt genug ist.

Ich finde Lulu bei den Schneemobil-Rennen. »Ich muss mich irgendwo aufwärmen«, sagt sie.

Wir setzen uns in den Chevy und lassen die Heizung laufen. Hierher flüchten wir fortan zwischen den Wettkämpfen, bis wir uns wieder in die Kälte wagen. Und so bekommen wir mit, wer am schnellsten ein Feuer anfachen und Tee aus Schnee zubereiten kann. Oder wer die Harpune am weitesten wirft und die beste Schneeschuhläuferin ist.

Am nächsten Tag stehen wir bibbernd am Start des Hundeschlittenrennens. Ein internationales Rennen, wohlgemerkt, so steht es auf dem Programm, denn einige Teams aus Alaska sind dabei. Ich fiebere mit Claire, einer Hundeschlittenführerin, oder Musherin, wie es hier heißt, die aus Quebec nach Inuvik gezogen ist. Sie erzählt mir, dass es für ihre jungen Hunde das erste große Rennen sei. Sie erwarte nicht, dass sie gewinnen werde.

»Die sehen gar nicht wie Huskys aus«, murmelt Lulu ein wenig enttäuscht.

»Das sind Alaska-Huskys«, sagt Claire. »Sie sind Mischlinge und werden wegen ihrer Schnelligkeit und Ausdauer gezüchtet. Was Sie wohl meinen, sind Sibirische Huskys.«

Sie streichelt einen der sehnigen und sichtlich nervösen Hunde, um ihn zu beruhigen. »Diese Hunde laufen sechs bis sieben Stunden ohne längere Pause. Ihr Gewicht ist viel geringer als bei früheren Züchtungen, nicht mehr um die fünfundvierzig Kilo, sondern etwa die Hälfte.«

Das Gebell ist jetzt so laut, dass eine Unterhaltung nicht mehr möglich ist. Der Start steht kurz bevor. Wir laufen zum Chevy und setzen uns mit einer ganzen Kolonne Autos in Bewegung, die sich auf dem gefrorenen Mackenzie-Fluss parallel mit den Hundeschlitten fortbewegen. Ich schaue auf den Tacho: 35 Stundenkilometer, kein schlechtes Tempo für ein Hundegespann. Nach einer Biegung halten wir an und warten auf die Spitzengruppe. Ein Gespann ist knapp vorne.

»Es ist Claire!«, schreie ich und beuge mich vor, um sie anzufeuern.

Lulu schreit nun auch: »Lauf mir nicht ins Bild, verdammt!«

Autsch. Das ist ein Kardinalfehler. Das hätte mir nicht passieren dürfen.

Am Abend ist alles vergessen. Claire und ihre jungen Hunde gewinnen das Rennen in der Kategorie

Frauen. Lulu wirkt versöhnt, als wir in der Hotelbar ein Glas Wein trinken.

Ein junger Mann kommt auf uns zu, ein Transportunternehmer, der sich nach Lulus Fotos vom Schneemobilrennen erkundigt. Ihn interessieren vor allem die Bilder von der Kollision zwischen den beiden Favoriten kurz vor dem Ziel. »Ich will nur sehen, ob alles mit rechten Dingen zugegangen ist«, sagt er.

Wie sich herausstellt, ist zwischen zwei Gruppen im Dorf eine Kontroverse entstanden, ob der Sieger den Zweitplatzierten nicht zu Unrecht aus dem Rennen geworfen hat. Es ist das Gesprächsthema Nummer eins in Inuvik. So werden Lulus Bilder zum Beweismaterial für den Ausgang des Schneemobilrennens. Der Sieger spendiert uns eine Runde Bier. Ich muss Lulu zu später Stunde gewaltsam aus der Bar ziehen, denn wir wollen am nächsten Tag auf der Eisstraße nach Tuktoyaktuk am Polarmeer gelangen.

Am nächsten Morgen strahlt die Sonne schon wieder. Lulu hat recht, etwas mehr Drama würde uns nicht schaden. Ich hatte von einer Reisegruppe gehört, die während eines Sturms in einer Schneeverwehung steckengeblieben war und erst nach sechs Stunden von einem Abschleppdienst aus Tuktoyaktuk aus ihrer misslichen Lage gerettet wurde. Einige Passagiere hatten während des Wartens offenbar bereits mit ihrem Leben abgeschlossen. Aber normalerweise wird die Eisstraße gesperrt, wenn ein Sturm aufzieht oder wenn das Eis zu weich wird.

Als wir zum Chevy laufen, sehen wir einen Truck mit einem riesigen Bohrer darauf.

»Kannst du davon ein Foto machen?«, frage ich Lulu, die halb schlafwandelt. »Mit dem Ding wird die Dicke des Eises geprüft, ob es das Gewicht der schweren Laster tragen kann.«

»So dick wie mein Kopf kann das Eis gar nicht sein«, brummt Lulu und hält sich am Kaffeebecher fest.

Ich ignoriere ihr Lamentieren. »Eineinhalb bis zwei Meter dick, das trägt auch noch deine Privatbibliothek.«

Lulu hat mehrere Bücher eingepackt, damit sie etwas zu lesen hat, falls wir steckenbleiben.

Ich aber vertraue darauf, dass uns der Chevy die 180 Kilometer über das gefrorene Mackenzie-Delta bis an die Beaufortsee trägt, wie der Arktische Ozean hier heißt. Auf den ersten Kilometern rollen wir an großen und kleinen Schiffen vorbei, die am Ufer im Schnee auf die Eisschmelze warten. Ich teste die Bremsen, um zu sehen, was diese Rutschbahn verträgt.

Glücklicherweise hat die Piste keine glatte Oberfläche. Sie ist mit einer Maschine aufgeraut worden, damit die Pneus etwas zum Greifen haben. Nun bemerken wir die Spalten, die sich quer durchs Eis ziehen. Lulu und ich denken beide das Gleiche: Wie wird der gute Phil auf seiner Ural das schaffen?

»Da – da vorne!«, ruft Lulu. Sie hat Augen wie ein kanadischer Weißkopfadler.

Jetzt sehe ich es auch. Ein schwarzer Schatten in der Schneewüste. Ein rotbrauner Umriss daneben. Ein äsender Fuchs. Ich mache eine Vollbremsung. Mein zweiter Bremstest gelingt. Wir steigen aus dem Chevy und bewegen uns so unbeholfen auf dem Eis wie der erste Mensch auf dem Mond. Der Fuchs sucht das Weite, als wir die Schneeböschung hochstapfen. Das schwarze Ding bleibt. Beim Näherkommen erkennen wir, was vor uns liegt: ein toter Elch. Der riesige Kopf ist intakt, aber aus dem Maul rinnt Blut, leuchtend rot gefroren in der Kälte der Arktis. Rundum liegen abgerissene Kadaverteile.

Lulu lichtet die Szene ab wie eine Polizeifotografin. Mir gefallen lebende Tiere besser. Ich verdrücke mich in Richtung Chevy. Mit großen Schritten messe ich die Breite der Eispiste aus: Es dürften rund 32 Meter sein.

Wir setzen unsere Fahrt mit Tempo 80 fort. »Kannst du nicht ein bisschen schneller fahren?«, fragt Lulu.

»Ich habe die Verantwortung«, sage ich wie ein Familienvater, beschleunige aber auf 110 Stundenkilometer. Es kann ja nicht schaden, wenn wir mehr Zeit in Tuktoyaktuk haben.

Kurz danach verlangt Lulu einen Fotostopp. »Steig aus«, befiehlt sie.

Ich muss mich bäuchlings auf die Eisstraße legen, damit sie mich in dieser Stellung ablichten kann. Wie in einem Kaleidoskop ziehen sich weiße Linien durchs Eis. Ich staune, dass gefrorenes Wasser so bunt sein kann: blau, schwarz, grau, violett, grün in allen Schattierungen. Lulu wird das mit Hilfe des Computers noch schöner auf den Bildschirm zaubern, als ich es jetzt sehen kann.

Eine stiebende Schneewolke nähert sich. »Achtung, ein Truck!«, schreien wir im Chor.

Endlich sehen wir einen dieser Boliden auftauchen. Wir fahren auf derselben Eisstraße wie die legendären Lastwagen in der Kultserie »Ice Road Truckers«. Ein bisschen fühlen wir uns wie diese harten Männer im Fernsehen, die ihr Leben aufs Spiel setzen (so wenigstens geht die Legende), wenn sie mit sechzig Tonnen schweren Trucks übers Eis jagen, immer in dem

Risiko, einzubrechen. Das Ungetüm, das uns jetzt entgegenkommt, transportiert ein ganzes Fertighaus. Im Winter versorgen diese Kolosse die Menschen in Tuktoyaktuk und die Erdöl- und Minenunternehmen in der Gegend mit Lebensmitteln und anderen Gütern. Das ist billiger als per Flugzeug und Schiff im Sommer, aber gefährlicher: Ab und zu muss ein Truck aus dem Eis gezogen werden.

»Das passiert heute bei diesem schönen Wetter sicher nicht«, sage ich fast wehmütig beim Weiterfahren. Was würde das für eine tolle Geschichte geben!

Kaum habe ich die Worte ausgesprochen, sehen wir einen blauen Pick-up auf der Seite der Eispiste liegen. Wir halten wieder an. Ein Reifen ist völlig abgedreht, wie eine ausgekugelte Schulter. »Achsenbruch«, stellt Lulu fachmännisch fest.

Während wir mitleidlos die Schererei betrachten, hören wir ein ungewöhnliches Motorengeräusch. Ist das Phil? »Jetzt sieh dir das einmal an!«, ruft Lulu mit ihren Adleraugen. Ein einsamer Schneemobilfahrer kommt uns entgegen. Wir winken. Der Mann stoppt. Ich verwickle ihn sofort in ein Gespräch, auf Englisch natürlich, obwohl ich mich gern in der Sprache der Inuvialuit versucht hätte. Es stellt sich heraus, dass der Fahrer ein Schnitzer aus Tuktoyaktuk ist, der einmal die Woche nach Inuvik fährt, um dort seine Schnitzereien aus Walknochen und Karibugeweih an eine Galerie zu verkaufen. Mit den Einnahmen versorgt er eine große Familie.

»Wie lange brauchen Sie auf dem Schneemobil bis nach Inuvik?«, frage ich.

»Fünf Stunden hin und zurück«, sagt er und lacht. »Ich lasse mir Zeit, denn heute ist es so warm.«

»Warm?«, rufe ich mit gespieltem Entsetzen. »Es

sind 25 Grad minus!« Lulu und ich sind derart mit Kleiderschichten gepolstert, dass wir uns fast nicht wiedererkennen.

Wir erzählen dem Schnitzer, dass wir unbedingt den Eiskeller in Tuktoyaktuk sehen möchten, in dem die Familien ihre Vorräte tief im Boden lagern. Er gibt uns den Namen einer Person, die einen Schlüssel zum Eingang hat.

Dann fahren wir in entgegengesetzten Richtungen weiter.

Eine blendend weiße, endlose Eiswüste dehnt sich auf beiden Seiten aus. Seltsame, hohe Hügel ragen wie Frostbeulen aus der Ebene. Pingos heißen sie, so habe ich gelesen. Sie bestehen aus einer Erdschicht und einem Kern aus Eis. Wir überlegen uns, auf einen dieser Hügel hinaufzustapfen, entscheiden uns aber dagegen. In dieser einfarbigen Landschaft kann man leicht die Orientierung verlieren, das wird mir jetzt bewusst. Keine feste Spur ist zu sehen, wo tiefer weicher Schnee wie eine tödliche Falle lauert. *Wie eine tödliche Falle lauert*, das würde doch gut in meinem Bericht klingen …

Mit jedem Kilometer nähern wir uns dem Arktischen Ozean. Plötzlich sehen wir das Ortsschild von Tuktoyaktuk. Ich bin euphorisch. Wir sind von Whitehorse aus über 1300 Kilometer gefahren! Wir haben tatsächlich Tuk erreicht, wie die Einheimischen ihr Dorf nennen, übrigens das nördlichste Dorf auf dem kanadischen Festland.

Ein stahlblauer Himmel wölbt sich über den beiden eingeschneiten alten Kirchen und über der ausgedienten Militärstation am Dorfrand, die die Amerikaner für die Verteidigung Kanadas gebaut haben. Weiter vorne spannt sich auf einem Dach etwas Weißes, es ist ein Eisbärfell. Die winterfesten Häuser von Tuktoyaktuk stehen auf Stelzen, weil der Permafrostboden auftaut und dann wieder gefriert. Vor fast jedem Haus sind mehrere Schneemobile geparkt. Hinter der einen Kirche dehnt sich der Arktische Ozean aus, aber seine vereiste Oberfläche unterscheidet sich fast nicht vom Festland. Wir können kaum erkennen, wo das Ufer beginnt.

Lulu muss ein Versprechen einlösen. Sie streut die Asche ihrer Tante, die sie in einem Glas mitgebracht hat, ins glitzernde Weiß, mit den Worten: »Sie ist auch auf dem Matterhorn.«

Vor dem Supermarkt fragen wir Einheimische nach der Besitzerin des Schlüssels zum Eiskeller. Viele Familien in Tuktoyaktuk haben ein Exemplar, aber heute ist ein schlechter Tag für uns. Ein Großteil der tausend Dorfbewohner feiert gerade die Hochzeit eines jungen Mannes mit dem Rufnamen Hammer. Sie sind alle in der Gemeindehalle versammelt, der Kitty Hall.

Eine Frau namens Tanja will uns behilflich sein. »Dort ist Alice«, sagt sie und zeigt auf die andere Straßenseite, »die hat bestimmt einen Schlüssel. Sie ist dreiundsiebzig Jahre alt.«

Alice will aber nur über die Hochzeit sprechen. »Wird er heute gehämmert?«, scherzt sie und bringt uns zum Lachen. Eskimos haben einen großartigen Humor.

»Hast du einen Schlüssel für den Eiskeller?«, fragt Tanja. Alice nickt, also nehmen wir sie in unserem Chevy mit, aber vor ihrer Haustür gesteht sie, dass sie ihn verlegt hat.

Wir fahren zur Schule und fragen eine Lehrerin, die verweist auf eine andere Person, und nach fast einer

Stunde kann Tanja uns endlich den Eingang zu der Holzhütte öffnen, die über dem Eiskeller steht. Vorsichtig zieht sie die Klapptür über einem zehn Meter tiefen Loch hoch. In einem unterirdischen Labyrinth aus zwanzig Kammern lagern die Eskimo-Familien ihre Vorräte: vor allem Beluga-Wal, Fische, Robben, Karibu, Elch und Gänse.

»Da geh ich nicht runter«, sagt Lulu.

»Sie müssen auch erst einen Waiver unterzeichnen«, sagt Tanja.

»Ein Waiver? Muss das denn sein?«, frage ich. Ein Waiver ist eine Verzichterklärung auf Schadenersatzforderungen, falls etwas passiert. Ich habe schon Dutzende von Waivern unterschrieben, vor dem Mieten eines Kajaks, vor einer Fabrikbesichtigung, einer Walbeobachtungstour oder einer geführten Wanderung.

Und jetzt also auch bei den Eskimos am Polarmeer.

»Vor zwei Jahren ist ein amerikanischer Tourist auf der Leiter ausgerutscht und hat uns verklagt«, sagt Tanja.

»Siehst du«, kontert Lulu.

Zu allem Unglück bekennt nun Tanja: »Ich leide unter Höhenangst, ich war noch nie da unten.« Und sie ist eine Inuit – sorry, eine Inuvialuit-Frau!

Mir ist auch ein bisschen mulmig, als ich die vereiste Holzleiter sehe. Aber ich kann es mir nicht leisten, Angst zu zeigen. Wir müssen da hinunter.

»Sie können sich an diesem Seil festbinden«, sagt Tanja.

Ein Seil! Unsere Rettung. Lulu lässt sich überreden. Vorsichtig klettert sie in die Tiefe des arktischen Permafrostbodens. Ein penetranter Geruch steigt uns entgegen. »Nicht das Fass anrühren, da ist Walöl drin«, ruft Tanja.

Ich folge Lulu in die Tiefe. Im Schein unserer Taschenlampen tasten wir uns durch die von glitzernden Eiskristallen überdeckten Erdgewölbe.

»Wie in einer Geisterbahn«, sagt Lulu, die nun wie wild drauflosknipst. Unsere Stimmen hallen durch die Gänge. Holztüren verschließen die Kammern. Sie sind nummeriert.

Plötzlich bleibe ich stehen und lausche. Das sind nicht unsere Stimmen. Da sind Männer! Wir sehen Lichter auf uns zukommen, und jemand ruft: »Na, ist das nicht ein richtiges Abenteuer?«

»Phil! Du hast die Eisstraße geschafft!«

Sein strahlendes Gesicht erscheint im Lichtkegel. »Ja, aber es hat mich einige Male fast von der Maschine geschleudert.«

Sein Freund, der ihn im Auto begleitet hat, taucht hinter Phil auf. »Mir ist jedes Mal beinahe das Herz stillgestanden«, ruft er.

So feiern wir Phils geglückte Motorrad-Fahrt im Eiskeller von Tuktoyaktuk mit Gruppenfotos und einem Schluck Cognac, der kalt, aber nicht gefroren ist.

Der Aufstieg über die Leiter ist weniger dramatisch als der Abstieg (ist das nicht auch im wirklichen Leben so?), vor allem, weil uns die beiden Männer helfen. Als Lulu und ich wieder im Chevy sitzen, stinken wir höllisch nach Fisch.

»Ich kann dich nicht riechen«, sagt Lulu und rümpft die Nase.

Ich schneide eine Grimasse. »*Ich* kann dich riechen, und *wie*, geh mir aus dem Weg!«

Und in diesem herzlichen Einvernehmen fahren wir nach Inuvik zurück.

19

Weibliche Autoreifen und
mehr Testosteron, bitte

Wie kommt es nur, dass Brenda aus meiner Wandergruppe immer irgendwann bei demselben Thema lan-
det? Als wir uns nach der Reise wiedersehen, sagt sie:
»Na, bis in die Arktis musst du nicht fahren, um einen
tollen Mann zu treffen.«

Ich bin perplex. Ich habe Brenda alles erzählt,
nur der Hundeschlittenführer Shane kam in meinen
Schilderungen nicht vor.

Ich verriet ihr nicht, dass er mich auf dem Rücksitz
seines Schneemobils mitfahren ließ. Er bewegt sich
nämlich nicht immer mit Hundeschlitten vorwärts,
sondern ab und zu auch motorisiert. Kein Wort kam
über meine Lippen über das tolle Gefühl, hinter seinem breiten Rücken über den Schnee zu rasen. Oder
von den wonnigen Schauern, die durch meinen Körper jagten, als er wie zufällig seine Hand auf mein
Knie legte.

Und erst recht soll sie nicht erfahren, dass ich mich
bei Tempo 120 an den seitlichen Griffen des Schneemobils festklammerte, als seien meine Hände an-
geschweißt. Hätte mein armer Rücken eine Stimme
gehabt, hätte er bei jeder Unebenheit aufgejault. Aber
Shane hat mir all die harten Schläge auf die Wirbel-
säule versüßt, weil er mich dann immer mit einem
Händedruck auf meinem Schenkel beruhigte.

Brenda war vor allem nicht dabei, als ich mir nochmals die Videoaufnahme mit Shane ansah und mir dabei ganz warm wurde.

O-Ton Shane Retmore

»Ich find das wirklich 'ne Wucht, dass ihr mich filmt. Ich weiß, dass die Frauen vor allem auf meine Muskeln abfahren. Aber, Teufel, was soll's, Hauptsache, sie kommen bei mir vorbei und kaufen eine Hundeschlittenfahrt.

Natürlich gibt's die besten Männer hier oben in Inuvik, es weiß nur keine! Ein Freund von mir wollte eine Finnin nach Inuvik locken. Die sah auf dem Foto total scharf aus. Blond, tolle Kurven, super Arsch. Und die E-Mails, die sie schrieb! Die hätten den stärksten Mann schwach gemacht. Mein Freund war drauf und dran, ihr Geld für den Flug zu schicken. Aber mir kam was komisch vor. Die wollte immer mehr Geld. Ich hab meinem Kumpel gesagt: Warum fragt sie nie, wie's so in den Northwest Territories ist? Ich meine, so 'ne hübsche Puppe, die haut doch schon am ersten Tag wieder ab.

Meine Ex hat es zwei Jahre ausgehalten. Die hatte genug von altem Gemüse und braunen Bananen und halbleeren Gestellen im Supermarkt. Die wollte ein Kino und draußen sitzen und Kaffee trinken und Leute beobachten. Gibt's hier alles nicht. Aber dafür Abenteuer und Freiheit und Menschen, wie man sie nirgendwo trifft. Mich zum Beispiel!

Ich will nicht woanders leben. Wenigstens die meiste Zeit nicht.

Im letzten Winter ist drei Tage lang der Strom ausgefallen. Das Wasser ist in den Leitungen gefroren.

Kann mal passieren. Aber meiner Ex war's zu viel. Die ist jetzt in Toronto.

Mein Kumpel dachte, eine Finnin ist an Kälte gewöhnt. Denkste. Stellt sich raus, dass es ein Schwindel war, die ganze Sache. Das Girl gibt es nicht. Nur ein paar Betrüger im Internet. Aus der Traum.

Aber euch hat's heute gefallen, nicht? Mit den Hunden und dem Schlitten, das ist ganz nach eurem Geschmack. Hab ich mir schon gedacht.

Ich importiere auch Waschmaschinen aus Asien. Läuft ganz gut, aber die Hunde sind viel besser. Mit Waschmaschinen kann ich nicht herumdüsen. Ich sag immer, Hundeschlitten in der Arktis, das ist 'ne Erfahrung, die man sein Leben lang nicht vergisst. Und im Sommer wird's nie dunkel. Da kannst du mitten in der Tundra unter freiem Himmel schlafen. Mücken? Gegen Mücken gibt's Netze. Mich stören die nicht.

Aber was red ich vom Sommer. Im Winter kommt man mit den Hunden überall hin, wo im Sommer Wasser ist. Wollt ihr morgen noch mal mit mir 'ne Tour machen und filmen? Ich zeig euch 'ne ganz tolle Route, so was hat noch niemand in Germany gesehen!«

* * *

Kurz, Shane ist Brenda so unbekannt wie Ennetbürgen am Vierwaldstättersee. Trotzdem nimmt sie sofort das M-Wort in den Mund. M für Mann.

Ich bin so verblüfft, dass ich nicht einmal richtig entrüstet klinge, als ich antworte: »Das war eine Reportagereise, liebe Brenda, eine Geschäftsreise. Ich bin Journalistin, erinnerst du dich?«

Brenda ist unbeeindruckt. »Ja, ja, das weiß ich schon«, sagt sie. »Aber im hohen Norden sucht doch

236

fast jeder Mann eine Frau. Nur, wer will schon sein Leben in einer Kühltruhe verbringen?«

Die Sache ist so absurd, dass sie mir langsam Spaß macht. Brenda ist ja noch hartnäckiger als meine Schwester Vera. »Wenn du schon die Weisheit mit Suppenlöffeln gegessen hast«, sage ich zu ihr, »dann nenne mir doch bitte einen Mann in Eagle Bay und Umgebung, in den ich mich verlieben könnte. Nur einen einzigen, bitte schön.«

Brenda verzieht ihren Mund. »Okay, die Männer, die ich kenne, sind alle etwas *zerlesen*«, gibt sie schließlich zu.

»Hör ich recht? Zerlesen?«

»Ja, wirklich. Die werden von Frau zu Frau weitergereicht. Nimm Simon zum Beispiel, der war schon mit Debbie und Ruth und Kelly zusammen. Und mit Paula hat er, glaub ich, auch was gehabt. Du willst sicher nicht einen Wagen, der schon zehn Besitzer hatte, nicht wahr?«

Da kann ich ihr nur zustimmen. »Vor allem nicht, wenn die Besitzerinnen alle in derselben Gegend leben«, sage ich.

Ginge es nach Brenda, müsste ich schon längst in festen Händen sein. Erzähle ich ihr, dass ich fleißig recycle und deshalb weniger Müll entsorgen muss, sagt sie: »Das wird Neil freuen, du kennst doch Neil, der den Müllwagen fährt? Ein ganz netter Bursche, und immer noch Single.«

Wenn ich ihr erzähle, dass mein Tierarzt in Pension geht, empfiehlt sie mir gleich Dr. Rothers, denn »er ist etwa in deinem Alter und frisch geschieden«.

Sie findet immer einen Aufhänger für einen Tipp. So sagte sie zu mir: »Mein Immobilienmakler ist sehr gut, du solltest dir ein Haus kaufen, er hat eine Katze wie du, es ist ja keine Verpflichtung. Soll ich dich erwähnen, wenn ich ihn wieder treffe?«

Sie ist nie um eine Idee verlegen. Die jüngste handelt von einem Eisenwaren-Supermarkt.

»Ich geb dir einen Rat, geh regelmäßig zu Canadian Tire, da kaufen alle Männer ein.«

Langsam wird mir die Sache zu bunt. »Meine Liebe, Canadian Tire ist für mich kein Jagdgrund, sondern ein Konzern, über den ich seriöse Zeitungsberichte schreibe.«

Brendas Neugier ist geweckt. »Was hast du denn über Canadian Tire geschrieben?«

»Dass dieses Unternehmen in Kanada so etwas wie eine nationale Institution ist. Dass es vor fast neunzig Jahren als Autowerkstatt gegründet wurde und jetzt ein Milliardenkonzern ist. Dass 85 Prozent der Kanadier weniger als 15 Autominuten von einem Canadian-Tire-Laden entfernt leben. Dass sie dort Produkte für Haushalt und Freizeit finden, Autoersatzteile, Artikel für die Werkstatt, den Handwerker und Hobby-Bauherrn. Willst du noch mehr hören?«

Sie schüttelt verwundert den Kopf. »Interessiert die Deutschen so was?«

»Einige bestimmt. Es ist ein wichtiges Unternehmen, immerhin Kanadas größte Eisenwaren-Supermarktkette.«

»Aber dass du jetzt besonders häufig hingehst, weil dort viele Männer einkaufen, hast du sicher nicht geschrieben.«

Ich gestehe, dass ich nun etwas Kindisches tue. Ich strecke Brenda die Zunge heraus.

Aber an Canadian Tire kommt man natürlich nicht vorbei. Nicht in Kanada. Schneller als mir lieb ist, trete ich den Gang zur nächsten Filiale an, weil ich eine Motorsense brauche (in Kanada heißt das »weed eater« oder Unkrautfresser, was doch viel netter klingt). Ja, und nach Wandfarben will ich mich auch umsehen.

Ich bin aber wohlgemerkt nicht ein Opfer von Brendas Ränkespielen, sondern von Marktforschern. Die haben den Bossen von Canadian Tire etwas ins Ohr geflüstert, nämlich ungefähr so etwas: »Wisst ihr eigentlich, dass die Hälfte eurer Kunden Frauen sind? Wisst ihr auch, dass die aber nur 35 Prozent der Käufe tätigen?«

Wow, haben sich die Bosse von Canadian Tire da gesagt. Warum kaufen die nicht so viel wie die Männer? Wollen die keine Bohrmaschinen und Eishockey-Trikots und Schraubenzieher? Einige schon, aber in der Regel kaufen sie Gardinen und Spiegel und Edelstahlpfannen. Oder wie in meinem Fall auch mal eine Motorsense. Kurz entschlossen sind die Bosse von Canadian Tire zur Tat geschritten. Sie haben die Läden östrogenisiert. Sie haben das Angebot verweiblicht. Sprich: Duftkerzen, geflochtene Körbe und bunte Seifenschalen. Oder Wandfarben mit dem Namen der kanadischen Design-Ikone Debbie Travis.

An diesem Tag steuere ich also auf die Wandfarbenabteilung zu, gleich neben den Möbeln, Stoffen und Spiegeln. Aber ich finde die Farben dort nicht mehr.

Eine Verkäuferin klärt mich auf. »Wir haben die Farben wieder in die Eisenwarenabteilung zurückverschoben«, sagt sie, »dorthin, wo die Werkzeuge und Ersatzteile sind.« Sie lächelt ein bisschen verlegen. »Die Männer haben sich einfach nicht mehr zurechtgefunden. Alles war versteckt hinter Produkten für

Frauen. Das hat die männlichen Kunden ziemlich frustriert. Deswegen haben sie weniger gekauft.«

Na, das ist ja ein Hammer! Aber kein Hammer wie der *Stanley FatMax Extreme AntiVibe Hammer* im Gestell vor mir, aus einem Stück Stahl geschmiedet und mit lebenslanger Garantie. Ich rieche eine Geschichte für meine Zeitung. Das muss ich ja gleich recherchieren, sage ich mir. Und siehe da, was mir die Verkäuferin erzählt hat, ist im Internet verewigt. Der oberste Chef von Canadian Tire wird mit den Worten zitiert, es sei höchste Zeit, wieder ein bisschen mehr Testosteron in die Läden zu bringen.

Testosteron.

Was ist passiert? Die kanadischen Männer wollten nicht in die Nähe von weiblicher Innendekoration! Und warum? »Es hat das Erlebnis der männlichen Kunden vermindert«, sagte der Oberboss von Canadian Tire. (Ich bin sicher, er meinte das Einkaufserlebnis.)

So ist also wieder mehr Männlichkeit bei Canadian Tire eingekehrt. Im Klartext: zurück zu Autoreifen, Rasenmähern und Schrauben.

Und die Welt ist für die Kanadier wieder in Ordnung. Wahrscheinlich auch für die Frauen.

Und sogar ein bisschen für mich.

Ehrlich gesagt: Ich finde Hammer mit einem patentierten Drehkontrollgriff und Antivibrationstechnologie auch interessanter als Duftkerzen.

Aber die Bosse von Canadian Tire hätten eigentlich wissen müssen, dass es mit *männlich* und *weiblich* nicht so einfach ist in Kanada.

Nehmen wir zum Beispiel Eishockey bei den Olympischen Winterspielen in Vancouver. Wer trank auf dem Eis Bier und rauchte Zigarren nach dem Sieg im

Endspiel gegen die USA? Und das vor den Augen der gesamten Sportwelt? Die Spielerinnen aus Kanada. Die Frauen!

Hier meine Notizen zu diesem denkwürdigen Tag:

25. Februar 2010. Eishockey-Frauen-Finale. Sitze im Wohnzimmer von Phillis Paddington. Alles Frauen hier, etwa ein Dutzend. Die meisten tragen ein Hockey-Trikot. Wir trinken Bier und essen Pizza. »Wo sind die Männer?«, frage ich. Antwort: »Die wollen wir nicht dabeihaben, die würden uns nur den Spaß verderben.«

Ganz Kanada ist bei Phillis vertreten: Laure aus Quebec, Anne aus Neufundland, Barb aus Alberta, Winnie aus – ja, richtig, der Stadt Winnipeg, Provinz Manitoba.

Eishockey hält dieses Land zusammen, trotz der sechs Zeitzonen. Vor allem, wenn es gegen die USA geht. Laure sagt, dann singen selbst die nach Unabhängigkeit strebenden Quebecer die Nationalhymne mit. Erst nach dem Spielende wollen sie ihre Provinz wieder von Kanada abtrennen.

Barb sagt, das sei kein Privileg der Quebecer, viele Leute in Alberta wollten ihre Provinz ebenfalls aus Kanada herauslösen, weil sie sich von der Regierung in Ottawa vernachlässigt und benachteiligt fühlen.

Anne ruft nach jedem Tor ihre Familie in Neufundland an (echte Neufundländer im Exil rufen ihre Verwandten mindestens einmal täglich an). Die Neufundländer an der Ostküste Kanadas sind der Westküste viereinhalb Stunden voraus. Das ist derselbe Zeitunterschied wie zwischen Frankfurt und Neu Delhi. Wie kann man ein Land regieren, wenn die Leute in einem Teil schon arbeiten, während sie im anderen Teil noch schlafen?

Anne sagt, auch viele Neufundländer wollten unabhängig von Kanada leben.

Was haben die alle nur? In den USA will kein Staat unabhängig werden. Die meisten Kanadier denken, in Kanada sei alles besser als in den USA. Warum wollen sie sich dann alle von Kanada ablösen?

Aber jetzt spricht schon das Bier aus mir (das ich selten trinke). Deshalb kann ich mich nicht auf den Spielverlauf konzentrieren. Die Biermarke ist Coors Light. Ist das nicht amerikanisch? Wir trinken Yankee-Bier! »Ja«, sagt Phillis, ohne rot zu werden, »es war im Angebot.«

Einer der vielen kanadischen Widersprüche.

Hauptsache, die Kanadierinnen gewinnen 2:0 und können sich die Goldmedaille umhängen. Und dann greifen die Spielerinnen zu Bier (glücklicherweise zu einem kanadischen) und zu Zigarren. Sie wollen feiern. Sie wollen partout nicht vom Eis verschwinden.

»Her mit den Zigarren!«, *ruft Winnie aus Winnipeg.*

Jemand treibt tatsächlich eine auf, und wir reichen sie herum wie eine Friedenspfeife.

Am folgenden Tag hört sich mein Nachbar Michael amüsiert meinen Bericht von der Frauenrunde an. Dann nimmt er mich genussvoll ins Kreuzverhör.

»Kennst du jetzt alle kanadischen Spielerinnen mit Namen?«, fragt er.

»Nur die Kapitänin Hayley Wickenheiser.«

»Kennst du einen männlichen Spieler mit Namen?«

»Wayne Gretzky.«

»Ich meine, einen *aktiven* Spieler der Nationalmannschaft. Gretzky spielt schon längst nicht mehr,
der lebt jetzt das Leben einer Eishockey-Legende.«

Ich überlege lange. »Friedrich Schiller«, sage ich
dann.

Michael zuckt nicht mit der Wimper. »War das nicht
ein deutscher Bundeskanzler?«

Ich lache laut heraus.

Zur Strafe schleppt er mich zum Olympia-Endspiel
im Männer-Eishockey in die Royal Canadian Legion
von Eagle Bay.

Der Raum ist proppenvoll. So voll habe ich die
Legion noch nie gesehen. Der Fernseher dröhnt. Ich
überfliege die Menge. Das Verhältnis Männer/Frauen
dürfte zwanzig zu eins sein (die Barmaid inbegriffen).

Ein Bekannter von Michael kommt auf uns zu. »Wir
müssen gewinnen«, sagt er, »weil die Frauen Gold gemacht haben.«

Aha. So was nennt man Erfolgsdruck.

»Nein«, mischt sich da ein anderer Typ ein, »wir
müssen gewinnen, weil wir es den Yankees zeigen
wollen.«

Wir nehmen an einem Tisch Platz, bevor alle Stühle
besetzt sind.

»Bier?«, fragt Michael.

»Nein danke«, sage ich, »diesmal muss ich einen
klaren Kopf behalten.«

Michael dagegen kommt mit Bier erst richtig ins
Reden.

»Früher«, sagt er, »während des Kalten Krieges, da
ging es immer gegen die Sowjets. Das waren die ka-
nadisch-russischen Eishockey-Schlachten. Aber jetzt
spielen die Yankees die Rolle der Erzrivalen. Kanada

gegen die USA, das ist ein Traumfinale für die Olympischen Spiele!«

Er zeigt nach vorne. »Siehst du den Mann dort? Der mit der Fernbedienung? Seine Aufgabe ist es, während der Werbepausen den Ton auszuschalten. Das ist eine Riesenverantwortung. Wenn er eine Sekunde zu spät ist, wird er ausgebuht.«

Jetzt steigt die Spannung. Ein vielleicht zwölfjähriges Mädchen singt die kanadische Nationalhymne, und das Publikum in der Legion steht auf und singt mit.

Das war bislang jeweils der einzige Teil der Eishockey-Spiele, den ich mir angeschaut habe: das Singen der Nationalhymne vor dem Anpfiff. Mal ist es ein Opernbariton, mal ein Schlagersternchen, mal ein einheimischer Rockstar, der auf dem Eis steht und singt. Ich gebe zu, es geht mir immer durch Mark und Bein. Das zwölfjährige Mädchen hat es wirklich drauf. Auch die hohen Töne am Schluss, die ich selber nur mit größter Mühe schaffe.

Es wird ein denkwürdiger Nachmittag. Die Kanadier gehen mit zwei Toren in Führung, die Amerikaner holen während der regulären Spielzeit zum 2:2 auf. Die Kanadier schießen in der Verlängerung das Siegtor. In diesen Stunden der Zerknirschung und des Triumphs erlebe ich alle Facetten des kanadischen Selbstverständnisses. Ehrlich. Ich hab's aufgeschrieben. Hier meine Diagnose einer Nation anhand von lauten Zwischenrufen (während des Spiels) und Selbstanalysen (in den Pausen):

1. Liebe zum Nachbarn: Zwischenruf, während die Scheibe erstmals aufs Eis fällt: »Nieder mit Amerika!«

2. Bier stärkt die nationale Identität: Zwischenruf nach dem ersten Tor durch Kanada: »Wir sind die Größten!«

3. Mitgefühl für die Schwachen dieser Welt: Michaels Bemerkung nach dem zweiten Tor durch Kanada: »Der amerikanische Trainer ist nicht in Hochform, der hat vor kurzem seinen Sohn bei einem Autounfall verloren.«

4. Nagende Selbstzweifel: Zwischenruf nach dem ersten Tor durch die Amerikaner: »Typisch Kanadier. Die werden es noch im letzten Moment vermasseln, ihr werdet sehen!«

5. Minderwertigkeitskomplex: Michaels Erklärung nach dem Ausgleichstor durch die Amerikaner: »Die Kanadier halten einfach keinem Druck stand. Die sind immer zu schnell zufrieden mit sich selbst. Die Amis sind Kämpfer, die Kanadier einfach zu nett.«

6. Pessimismus ist die beste Selbstverteidigung: Einer von Michaels Freunden kommentiert in der Pause vor der Verlängerung: »Immer, wenn's drauf ankommt, machen die Kanadier schlapp. Wie kann man eine solche Chance verpassen? Wir blamieren uns vor der ganzen Welt!«

7. Selbstüberschätzung: Derselbe Mann kommentiert nach dem Siegtor in der Verlängerung: »So sind wir Kanadier einfach – wenn's drauf ankommt, stehen wir wie ein Mann zusammen und schlagen zu. Nichts kann uns stoppen!«

8. Eishockey macht Kanadier zu besseren Menschen: Vor der Siegerehrung ruft einer aus dem Publikum: »Schaut nur, die heulen Tränen, die Yankees. Haben die wirklich gedacht, wir würden sie auf kanadischem Boden siegen lassen? Holzköpfe!«

Ende der Diagnose.

Schade, dass Brenda nicht dabei war. Was für ein Siegestaumel: Ich wurde noch nie von so vielen Männern hintereinander umarmt! Ein Schlaraffenland voller Testosteron. Von mir aus kann Kanada jeden Sonntag im Eishockey gewinnen. Gegen wen ist mir egal.

Später, nach der Feier in der Legion, muss ich Michael nach Hause fahren, er hat zu viel Bier getrunken.

»Kennst du jetzt den Namen eines kanadischen Eishockeyspielers?«, fragt er wieder.

»Sidney Crosby«, antworte ich wie aus der Pistole geschossen. Crosby erzielte in der Verlängerung das Siegestor.

»Und wer ist der Captain der Nationalmannschaft?«

»Jetzt hör aber auf, du!«

Michael lässt einen Rülpser los. »Es gibt noch vieles in Kanada, was du nicht kennst.«

»So, du englischer Snob, dann sag mir doch, wo sich Kanadas älteste britische Siedlung befindet?«

Schweigen.

Triumphierend sage ich: »In Neufundland. Ein Ort namens Cupids. Und dort fahre ich in diesem Sommer hin!«

»Nach Cupids?«

»Nein, nach Neufundland.«

»Du liebes Lieschen, dort zwingen sie dich in einem obskuren Ritual, einen Kabeljau zu küssen. So verzweifelt kannst du doch nicht sein! Warum küsst du nicht Robby Fletcher?« Robby Fletcher ist Brendas Immobilienmakler.

Ich biege mit einem Riesenschlenker in Michaels Straße ein und stoppe so vehement, dass er herumgeworfen wird.

Dann gebe ich eine offizielle Erklärung ab: »Michael, eins sag ich dir: Lieber küsse ich einen Fisch als einen Frosch!«

Das verschlägt selbst einem angeheiterten Ex-Briten die Sprache.

20

Von potenten Rhabarbern

»So, aus Deutschland kommen Sie«, sagt die Frau neben mir, als der Flugzeuglärm nach dem Start in Toronto, wo ich zwischengelandet war, etwas nachlässt. »Und wohin wollen Sie?« Ihren ausgeprägten Akzent erkenne ich nicht gleich.

»Auf die Insel Neufundland, wie Sie«, sage ich. »Deshalb sitzen wir doch in dieser Maschine.«

Der Flug von Vancouver an die Ostküste Kanadas hat mich mehr gekostet als ein Ticket nach Frankfurt. Kein Wunder, dass die Kanadier eher nach Mexiko oder Hawaii fliegen als ans andere Ende ihres Landes.

»Ach«, sagt die Frau. »Sie kommen von so weit her und wollen zu den Newfies.«

Ich räuspere mich. »Ich habe gehört, der Ausdruck Newfie sei verpönt.«

Sie lacht. »Ich darf das Wort schon sagen, ich bin selbst Neufundländerin.« Sie ist eine etwa fünfzigjährige Frau, die so mütterlich wirkt, dass ich ihr sieben Kinder zutraue. Mindestens.

»Und jetzt erzähle ich Ihnen einen Newfie-Witz«, sagt sie.

Ich protestiere. »Aber Newfie-Witze sind doch auch verpönt. Man hat mir gesagt, die Neufundländer wollten nicht als drollige, skurrile Menschen behandelt werden.«

»Haben Sie das in Deutschland gehört?«

»Ich wohne jetzt in Vancouver. Aber in Deutschland gibt es auch Menschen, die am Meer leben, die Ostfriesen, und die mögen es auch nicht, wenn man über sie dumme Witze erzählt.«

»Wenn man nicht über sich selbst lachen kann, über wen soll man dann lachen? Ich erzähle Ihnen jetzt keinen dummen Witz, sondern einen guten.«

Und dann bekomme ich einen so schlüpfrigen Lesben-Witz zu hören, dass ich ihn auf diesen Seiten unmöglich wiedergeben kann.

Wow, wo ist das politisch korrekte Kanada geblieben?

Ich muss den Satz laut ausgesprochen haben, denn die Frau lacht wieder. »Wir sind nicht politisch korrekt, glauben Sie mir. Machen Sie sich in Neufundland auf einiges gefasst.«

Eigentlich heißt die Provinz korrekt Neufundland und Labrador, so habe ich mich belehren lassen, und zusammen sind die beiden Teile größer als Deutschland. Aber darauf spreche ich die Frau jetzt nicht an, wer weiß, welche Reaktion ich zu erwarten hätte, vor allem, weil nun eine Flasche Rum die Runde von Sitzreihe zu Sitzreihe macht. Das muss das Neufundländer Nationalgetränk sein, Newfie Screech genannt. Das kann ja noch heiter werden. Plötzlich mischt sich der Mann auf der anderen Seite ein. »Ich kenne auch einen guten Witz«, sagt er.

Ich halte mich am Sicherheitsgurt fest und schaue mich um, ob der Rest des Flugzeugs unser Gespräch mithört. Einige Gesichter sehen mich neugierig an. Ich kann den Mann nicht stoppen. Ziemlich laut beginnt er: »Ein Sozialarbeiter kommt nach Groggy

Harbour und klopft an eine der Türen. Ein Mädchen kommt heraus.

›Vater ist nicht hier, er sitzt im Gefängnis‹, sagt das Mädchen.

›Und deine Mutter?‹, fragt der Sozialarbeiter.

›Mutter ist in der Klapsmühle.‹

›Hast du Brüder?‹

»Ja, drei, Tom, Dick und Harry.‹

›Kann ich mit ihnen sprechen?‹

›Tom kommt nach dem Vater‹, sagt das Mädchen, ›er sitzt im Knast.‹

›Und Dick?‹

›Dick ist wie die Mutter in der Klapsmühle.‹

›Und Harry?‹

›Sie können nicht mit Harry sprechen, er ist in Harvard.‹

›In Harvard! Was studiert er denn dort?‹

›O nein. Er studiert nicht – die studieren ihn.‹«

Dröhnendes Gelächter hallt durch das Flugzeug. Ich verstehe die Welt nicht mehr. Die Frau neben mir findet Gefallen an meiner Verwirrung.

»Wir reden nicht lange um den heißen Brei herum, wissen Sie. Ich komme aus einem Ort namens Dildo. Können Sie sich vorstellen, wie oft ich deswegen geneckt werde? Aber deswegen hat Dildo seinen Namen doch nicht geändert!«

Ihr Sitznachbar nimmt das Thema sofort auf. »In Neufundland gibt es Orte wie Conception Harbour, Heart's Delight und Heart's Content. Das haben Sie in Deutschland nicht, oder?«

Nein, Ortsnamen wie Empfängnishafen, Herzenswonne oder Herzenszufriedenheit kann ich mir in Deutschland wirklich nicht vorstellen. Und schon gar nicht Dildo.

Der Mann lässt nicht locker. »Nur die Leute von Gayside haben den Namen geändert in Baytona, damit sie nicht immer Schwulenwitze hören müssen.«

Wieherndes Gelächter rundherum.

Ich mache mich schon darauf gefasst, dass die Frau neben mir noch einen Witz auf Lager hat. Aber es kommt deftiger.

»Sind Sie verheiratet?«, fragt sie. »Oder suchen Sie einen Mann?«

Ich schnappe nach Luft, aber diese indiskrete Direktheit will ich nicht auf mir sitzen lassen. »Gibt es denn noch Männer in Neufundland?«, frage ich. »Ich dachte, die arbeiten alle in Alberta in den Ölsanden.«

Man sollte die Neufundländer nie unterschätzen. Meine Nachbarin erwidert ungerührt: »Die nennen wir Salzwasser-Cowboys. Einige von ihnen sitzen in diesem Flugzeug.« Sie kichert. »Sie werden schon jemanden finden, der's Ihnen besorgt.«

Was zu viel ist, ist zu viel. Ich fahre meine beste Waffe auf, die Wortgewalt des verstorbenen Premierministers Pierre Trudeau. »Trudeau hat mal gesagt, der Staat habe nichts in den Schlafzimmern der Nation zu suchen. Ich würde sagen, auch Sie haben nichts in meinem Schlafzimmer zu suchen.«

»Wer redet denn von Schlafzimmer«, sagt die Frau, »wir machen es so ziemlich überall, nicht wahr, Darrell?«

Erst die Landung in Deer Lake rettet mich vor den Anzüglichkeiten dieser fröhlichen Inselbewohner. In Deer Lake miete ich einen Wagen und fahre gen Norden, verfolgt von Schildern, die die Anzahl Zusammenstöße zwischen Autos und Elchen in diesem Jahr registrieren. Sieben Kollisionen bislang auf dieser Strecke. Das überrascht mich nicht. Ich habe gelesen, dass ein Elch auf vier Neufundländer kommt. Das ist kein schlechtes Zahlenverhältnis für eine Tierart, die erst 1904 auf der Insel eingeführt wurde und sich seither wie die Kaninchen vermehrt.

Aber wo bitte schön sind denn jetzt diese Elche? Ich schaue nach links und schaue nach rechts und kann keinen entdecken.

Im Autoradio spricht jemand über die Popularitätsquote von Danny Williams, der zur Zeit meiner Reise noch Neufundlands Ministerpräsident ist (inzwischen hat er sein Amt abgegeben). Danny Williams hat sich beliebt gemacht, weil er Sätze von sich gibt wie: »Die Kanadier haben uns viel zu lange für zweitklassige Bürger gehalten.« Die Kanadier? Sind die Neufundländer nicht auch Kanadier? Offenbar nicht für Leute wie Danny Williams. Durch solche Äußerungen erhält er ungemein viel Zustimmung in Neufundland.

»93 Prozent«, sagt der Moderator, »93 Prozent der Menschen in unserer Provinz finden Danny Williams gut. Sind das nicht Verhältnisse wie in europäischen Diktaturen?«

Das wird ja immer besser, denke ich. Von welchen europäischen Diktaturen redet der, vielleicht vom ehemaligen Ostblock? Die Sache wird nicht weiter geklärt, und ich wechsle den Sender. Wettervorhersage für Neufundland. Der Bericht findet kein Ende. Obwohl die Insel ohne Labrador etwa so groß ist wie Bayern, gibt es hier zweiundzwanzig grundverschiedene Wetterzonen. Das soll den Neufundländern einer nachmachen.

Wieder erscheint ein Warnschild am Straßenrand: Jetzt werden bereits acht Kollisionen mit Elchen gezählt. Das geht wirklich schnell hier mit den Begegnungen von Tier und Auto. Aber nicht nur vor Elchen muss man sich auf dieser Insel hüten. Auch Neufundlands fleischfressende Nationalpflanze, Pitcher Plant genannt, ist gefährlich. Zwar nicht für Menschen, aber für andere Lebewesen. In ihren Kelchen aus Blättern, die sich mit Wasser füllen, fängt sie Insekten und ernährt sich von ihnen. Was, so frage ich mich, sagt es über eine Provinz aus, dass sie diese violette Sumpfblume zu ihrem Emblem gemacht hat?

Ich durchquere den Gros-Morne-Nationalpark und erreiche ein Dorf namens Norris Point, wo ich ein Zimmer im Neddy's Harbour Inn belege. Durch das Fenster sehe ich die Tafelberge des Nationalparks.

Als ich mich am Empfang nach Neufundländer Musik erkundige, schickt mich die Rezeptionistin ins Fischerdorf Rocky Harbour. Im örtlichen Motel kaufe ich eine Eintrittskarte und betrete die Bar-Lounge. Sie ist voll, denn das Konzert hat bereits begonnen. Ich sehe vor allem ältere Paare in Feststimmung applaudieren. Als der Sänger der Band »Rolling Waves« einen Viagra-Witz erzählt, grölen sie begeistert.

Schon wieder schlüpfrige Witze! Um das zu überstehen, brauche ich einen Rum.

Glücklicherweise spielt die Band jetzt auch Musik – und sie singt dazu. Der Text ist bemerkenswert:

»Während seines ganzen Lebens
hat Opa sein Fischerboot verehrt.
Er hätt es nicht für Gold gegeben,
selbst seine Frau war nicht so viel wert.
Am Morgen ging er um fünf Uhr raus
zum Fischen auf dem eiskalten Meer.
Die Oma ruft am Abend zu Haus:
Nimm deine eiskalten Hände von mir.«

Wildes Klatschen und Johlen füllt den Raum.

Und das nächste Lied folgt sogleich:

»Bei 25 Minusgraden
im Plumpsklo vor dem Haus
gefriert die Hose an die Waden.
Vom Klo kommst so nicht mehr raus.«

Aber Unterhaltung ist in Neufundland, das merke ich rasch, nicht nur Musik, sondern auch Kabarett. Oder soll ich sagen: tiefgehende Volksbelehrung?

»Wir sind die sexuell aktivste Provinz«, beginnt der Sänger. »Das hat eine landesweite Studie bewiesen. Nein, das ist kein Witz, das ist die Wahrheit. Ihr habt es ja in den Zeitungen lesen können. Ihr fragt euch, warum das so ist? Ich werd es euch erklären.«

Er hält einen dünnen grünen Stängel hoch, der seinen Kopf hängen lässt, und einen dicken starken Stängel.

»Es ist wegen unserem Rhabarber«, ruft der Sänger. Der Saal tobt. In Neufundland, so scheint's, sind die Fünfzig- bis Siebzigjährigen wirklich in Schwung.

Der Sänger hält den kläglichen Rhabarber hoch.

»Der hier kommt aus Alberta.«

Lachsturm im Saal.

»Und der hier«, der Sänger zeigt das Prachtexemplar eines Rhabarbers, »stammt aus Neufundland!«

Der Raum bebt wie eine Sportarena nach einem Eishockey-Tor. Ich flüchte, bevor eine Massenpanik losbricht.

»Was ist nur los mit diesen Neufundländern?«, frage ich Sandra Shaker, die ich am nächsten Tag zum Lunch treffe. Ich bin auf einer einsamen Küstenstraße weitere zweihundert Kilometer Richtung Norden gefahren. Nochmals zwei Stunden Elch-Gefahr. Sandra ist Bürgermeisterin und Bäckerin ihres Dorfes, was gut zusammenpasst. Sie backt in beiden Bereichen große Brötchen.

»Ach, die Neufundländer sind halt ein bisschen … unkonventionell in diesen Dingen«, sagt sie, »und kultivieren das Anzügliche. Sie sind gern anders als die Kanadier auf dem Festland. Die meisten finden ohnehin, Neufundland sollte eine unabhängige Nation sein.«

»Ja, das habe ich schon von einer Bekannten gehört. So eine kleine Insel? Wovon würden denn die Leute hier leben? «

»Genau«, sagt Sandra, »Neufundland nennt sich ja The Rock, weil es hier so steinig ist. Die Fischerei ist derzeit ziemlich tot, denn man hat das Meer jahrzehntelang überfischt. Seit 1992 existiert die Kabeljau-Fischerei praktisch nicht mehr. Und der Ölboom findet mehr oder weniger nur in der Hauptstadt St. John's und Umgebung statt.« Sie schiebt sich ein Stück Fischfrikadelle in den Mund. »Die Neufundländer nehmen zwar gern die Subventionen aus Ottawa, aber gleichzeitig machen sie die kanadische Regierung für alles Übel verantwortlich. Manche Neufundländer träumen immer noch von einer losen Allianz mit den Vereinigten Staaten, stellen Sie sich vor.«

»Das kann ich fast nicht glauben!« Mir entgleitet die Muschel, die ich gerade verspeisen wollte.

»Doch, doch, die Amerikaner mögen sie komischerweise. In den Tagen nach den Terroranschlägen von 9/11 wurden viele amerikanische Flugzeuge nach Neufundland auf den Flughafen Gander umgeleitet. Die Leute von Gander nahmen sie mit offenen Armen in ihren Häusern auf. Davon reden die Amerikaner heute noch.«

»Werden mir die Leute im Norden auch ihre Türen öffnen, wenn ich als Journalistin komme?«, frage ich.

»O ja, da machen Sie sich mal keine Sorgen. Die Neufundländer sind die freundlichsten Menschen, die Sie sich vorstellen können. Aber es ist eine andere Welt dort oben, das kann ich Ihnen sagen.«

»Inwiefern anders?« Ich spitze die Ohren.

»In den kleinen Dörfern wird nicht an die Tür geklopft, da platzen die Leute gleich ins Haus, zu allen Zeiten. Küche und Stube sind sozusagen öffentliche Räume. Nur die Schlafzimmer sind privat.«

Mir kommt eine Anekdote des Sängers in Rocky Harbour in den Sinn. »In Neufundland haben wir keinen Starbucks«, hatte er ins Publikum gerufen, »aber das haben wir auch nicht nötig. Man kann einfach in ein Haus gehen, den Kühlschrank öffnen und sich ein Sandwich machen.«

So viel Vertrauen in die Menschheit ist schon fast gefährlich, denke ich. Aber ich bin eine Frankfurterin, die in Vancouver lebt, von der kann man nichts anderes erwarten.

Ich muss Sandra ein Bekenntnis ablegen. »Eigentlich kannte ich Neufundland bislang nur aus dem Film ›Schiffsmeldungen‹ und dem Buch von Annie Proulx, aber jetzt will ich das ändern.«

»Ja, ja, die Annie war auch bei uns oben auf der nördlichen Halbinsel«, sagt Sandra. »Sie hat in der Pension einer Freundin von mir gewohnt, und als die Freundin unverhofft weg musste, hat sich Annie Proulx um die Gäste gekümmert und Frühstück gemacht.« Sandra lacht. »Aber das war noch, bevor sie den Pulitzerpreis für das Buch erhielt.«

Als ich zu meinem Mietwagen gehe, ruft mir Sandra nach: »Wenn Sie einen Platten haben und ein Truck hält neben Ihnen, dann brauchen Sie keine Angst zu haben. Der will Ihnen nur helfen. Wir sind doch in Neufundland!«

Sie hat gut reden. Während der nächsten zwei Stunden kommen mir fast keine Fahrzeuge entgegen. Die Straße wird jetzt ziemlich einsam. Ich bin richtig erleichtert, als ich die Abzweigung zum Jagd-Hotel sehe, hier Hunting Lodge genannt, in dem ich die Nacht verbringen will.

Genauso habe ich mir die Lodge vorgestellt: ein gemütliches großes Blockhaus an einem See. Als ich das Esszimmer betrete, um einen Kaffee zu trinken, höre ich eine Gruppe von Jägern und Jagdführern über die bevorstehende Pirsch reden. Ich merke aber gleich, dass in dieser Lodge eine ältere Frau den Ton angibt, die Besitzerin des Hauses.

»Vergiss nicht«, sagt sie zu einem der Jagdführer, »dass ihr nicht auf den Boden pinkeln sollt. Nimm die hier mit.« Sie reicht ihm einige Plastikbeutel, die dieser gleich einsteckt. Als sie mein erstauntes Gesicht sieht, lacht sie. »Wenn Männer in der Wildnis pinkeln, bleiben die Bären weg«, sagt sie.

»Warum?«, frage ich.

Sie setzt sich kurz an meinen Tisch und gibt mir eine Lektion in Bärenkunde. »Wenn die Menschen ihr Territorium markieren, macht das die Schwarzbären nervös. Sie sind einige Tage lang scheu, bis sie sich an den Geruch gewöhnt haben.«

Die Hotelbesitzerin ist früher selbst auf die Jagd gegangen, erzählt sie mir, und gefischt hat sie auch. Der Jagdtourismus ist Big Business in Neufundland.

Am Abend sitze ich als einzige Frau mit zehn

Hobbyjägern und vier Jagdführern an einem der Gemeinschaftstische. Ein deutscher Industriemagnat ist darunter und zwei britische Adlige, aber alle essen dasselbe Gericht: Shepherd's Pie. Der Deutsche hat ein Karibu erlegt und ist glänzender Laune. Nebenbei erfahre ich, wie teuer so ein Jagdvergnügen ist. Rund 4300 Euro für die Karibu-Pirsch, alles inbegriffen, für einen Elch zwischen 3300 und 4600 Euro und für einen Bären rund 1900 Euro.

Da ich nicht so viel Geld habe und auch kein Tier erlegen möchte, fahre ich am nächsten Tag weiter. Noch hat mich das berüchtigte Wetter in Neufundland nicht eingeholt. Die Straße ist trocken, die Sicht gut. Manchmal tauchen Schilder mit Dorfnamen auf: Deadman's Cove, Nameless Cove, Savage Cove, oft sieht man nur eine Abzweigung, sonst nichts. Totenbucht, Namenlose Bucht, Wilde Bucht: nicht gerade Orte, in die ich meinen Fuß setzen will. Und jetzt sehe ich endlich einen Elch. Glücklicherweise will er nicht mit seinen 450 Kilogramm Lebendgewicht durch meine Windschutzscheibe krachen und meine Existenz beenden. Er äst einfach friedlich am Straßenrand.

Zu meiner Linken öffnet sich der Ozean und ein kleines Fischerdorf erscheint. Na, das ist doch was.

Bakeapple Cove, Moltebeeren-Bucht. Auf Deutsch klingt es wie ein preußisches Schlachtfeld. Manche Kanadier nennen Bakeapples auch Cloudberries. Wolkenbeeren-Bucht. Das ist viel besser. Da muss ich hin.

Ich biege ab und fahre an die Gestade des Nordatlantiks hinunter. Die Bezeichnung Dorf ist für das Dutzend Häuser ein bisschen hochgegriffen. Manche Outports, diese einsamen Stützpunkte der Fischer entlang der Küste, bestehen nur aus einer großen Familie, hat mir Sandra Shaker erzählt. Damit die Regierung nicht überallhin Straßen bauen und Stromleitungen ziehen muss, hat sie die Bewohner solcher Outports in den vergangenen Jahren mit einer hübschen Ablösesumme ermuntert, in eine größere Siedlung umzuziehen. Einige Familien haben ihr Haus auf ein Floß geladen und mit dem Boot übers Wasser an den neuen Ort geschleppt. So geht das auf einer Insel mit fast zehntausend Kilometer Küstenlinie.

An der Anlegestelle von Bakeapple Cove packen zwei Fischer gerade Netze auf ihr Boot. Ich parke und steige aus. Das bleibt nicht unbemerkt.

»Wollen Sie mithelfen?«, ruft der eine Fischer, ein Blonder mit blauer Wollmütze. »Wir zahlen aber nichts.« Beide Männer lachen. Der Ältere mit dem graumelierten Schnurrbart wirft zerstampftes Eis in eine Kiste.

»Wonach fischen Sie hier?«, frage ich.

»Kabeljau.«

»Ich dachte, es gäbe keinen Kabeljau mehr«, sage ich und nähere mich dem Boot.

»So, wer hat Ihnen so etwas gesagt? Die Regierung in Ottawa?«

»Nein, ich habe es in einer Zeitung gelesen. Ich bin Journalistin.«

Beide halten in ihrer Arbeit inne. Der Blonde betrachtet mich neugierig. »So, Journalistin sind Sie. Für wen schreiben Sie denn?«

»Für eine Zeitung in Deutschland. Ich bin Auslandskorrespondentin.«

»Deutschland?«, sagt der jüngere der Fischer. »Sind Sie eine deutsche Spionin?« Die Vorstellung bereitet ihm offensichtlich Vergnügen. Beide Männer grinsen.

»Ich recherchiere über die Fischerei in Neufundland«, sage ich, bemüht, es mir nicht mit den beiden zu verderben.

»Interessiert das denn die Deutschen?«

»Ja, die Fischerei ist weltweit ein wichtiges Thema, besonders heutzutage.«

Der Blonde kratzt sich unter der Wollmütze.

»Da müssten Sie aber einmal mit uns rausfahren zum Fischen, um einen richtigen Eindruck zu erhalten.«

Ich kann mein Glück nicht fassen. Schon habe ich eine Einladung zu einem Fischzug!

Der Blonde deutet auf den Namen des Bootes: *Ocean Lady.* »Wir haben den Ozean, jetzt brauchen wir noch die Lady.« Nun lache ich mit den beiden mit. Der Ältere sagt: »Wir geben Ihnen Gummistiefel.«

Ich bin perplex. »Kann ich denn so einfach mitkommen? Muss ich nicht eine Verzichtserklärung für Schadenersatzforderungen unterzeichnen?«

»Einen Waiver? Ach was, diesen bürokratischen Kram machen wir nicht mit. Hier ist eine Schwimmweste.«

Der Blonde sieht mich mit Wohlgefallen an. »Sind Sie allein hier? Arbeiten Sie selbständig?«

Ich ignoriere die Fragen und sage stattdessen: »Und Sie? Tragen Sie keine Schwimmwesten?«

»Nein, die brauchen wir nicht, wir können ohnehin nicht schwimmen.« Wieder ein breites Grinsen. Die Männer haben es wirklich lustig.

»Sie können jetzt an Bord kommen, meine Liebe.« Der Blonde streckt die Hand aus, um mir zu helfen. Ich zögere eine Sekunde.

Der Schnurrbart steht breitbeinig im Boot. »Kommen Sie, wir werfen Sie sicher nicht über Bord.«

Eine vertrauenserweckende Aussage, finde ich, und hüpfe hinein. Der Motor kommt dröhnend in Gang. Ich versuche mich irgendwo festzuhalten, während wir aufs Meer hinausfahren.

»Sie werden doch hoffentlich nicht seekrank?«, brüllt der Blonde, als er mich schwanken sieht.

»Danke der Nachfrage, aber sie kommt ein bisschen spät«, brülle ich zurück. Meine Gravol-Pillen gegen Seekrankheit liegen im Auto. Alles ist so schnell gegangen, dass ich sie völlig vergessen habe. Ja, und jetzt kommt mir noch etwas in den Sinn. Ich war auch vorher nicht auf dem Klo.

»Haben Sie eine Toilette auf dem Boot?«, rufe ich.

Der Blonde schüttelt fröhlich den Kopf. »Wir brauchen keine hier draußen.«

»Wie gehen Sie denn aufs Klo?« Ich kann mir die Frage nicht verkneifen. Ich kann mir im Moment überhaupt wenig verkneifen. Ich muss dringend mal.

»Wir hängen uns über die Reling.«

Mir schwant Übles. Aber die Natur ruft laut und heftig.

Der Blonde sieht meine Not. »Sie können auch dort«, sagt er und zeigt auf eine Ecke des Bootes. Dort steht ein Eimer.

Ich nehme allen Mut zusammen. »Okay, aber können Sie beide bitte rasch weggucken?«

»Sure«, sagt der Blonde, bewegt sich aber nicht von der Stelle.

Ich wage einen zweiten Versuch: »Ich meine, ich möchte meine Privatsphäre, wenn Sie verstehen, was ich meine.«

»Jop«, sagt der Blonde. »Warten Sie kurz, bis wir die Netze einholen, dann können Sie den Eimer mit ins Steuerhaus nehmen und die Tür schließen.«

Das tue ich. Es ist eine, sagen wir: unbequeme, aber erleichternde Erfahrung.

Ich werde auch nicht seekrank und fange an, die Bootsfahrt zu genießen. Jetzt erfahre ich die Namen der beiden Fischer. Während John am Steuerrad steht, zeigt mir der blonde Peter die Fische, die er reinholt.

Zum ersten Mal sehe ich einen lebenden Kabeljau aus dem Nordatlantik. Ich bin fasziniert. Das ist also der legendäre Fisch, den es vor fünfhundert Jahren so zahlreich gab, dass man mit Körben aus dem Vollen fischen konnte. Der Fisch, der jahrhundertelang die Länder Europas ernährte und deren Wirtschaft in Gang hielt. Aber dann kamen in der zweiten Hälfte des 20. Jahrhunderts die großen Schiffe, zuerst die internationalen Fischereiflotten und dann die kanadischen Schleppboote, und diese dezimierten die Kabeljaubestände auf erschreckende und unumkehrbare Weise. Noch immer hat sich der Kabeljau nicht von seiner Beinahe-Auslöschung erholt.

Peter erzählt mir, wie schwer es die kleinen Fischer in Neufundland haben: »Ich darf in diesem Jahr nur drei Tonnen Kabeljau aus dem Meer holen. Früher, in guten Jahren, hat ein einziges Boot mit riesigen Netz-Fallen leicht an die hundert Tonnen Kabeljau hereingezogen.«

Ich sehe Peter zu, wie er einen Kabeljau aus dem grünen Netz löst, ihm mit dem Messer die Kehle durchtrennt, den Bauch aufschneidet und die Eingeweide herausnimmt. Dann legt er ihn zu den anderen Fischen in den Kunststoffbehälter und wirft Eis darauf. Ich denke, so müssen es die Fischer seit vielen Generationen gemacht haben, er und sein Vater und sein Großvater und sein Urgroßvater. Peter ist ein Mann, der tut, wozu er bestimmt ist. Plötzlich be-

262

greife ich intuitiv, warum die Neufundländer am Kabeljau hängen wie an keinem anderen Fisch.

Peter zieht einen halbverdauten Hering aus dem Bauch eines Kabeljau. Ich verziehe das Gesicht. »Igittigitt.«

»Das ist noch gar nichts«, sagt Peter, »der Kabeljau ist ein Kannibale, die verspeisen sich manchmal gegenseitig.«

»Das ist aber ein gefräßiger Geselle.«

»Ja, trotzdem müssen Sie einen Kabeljau küssen.« Er sieht mich schelmisch an.

»Ich muss was?«

»Sie müssen einen Kabeljau küssen, um eine Ehren-Neufundländerin zu werden.«

Ich schüttle lachend den Kopf: »Das fehlte gerade noch!«

Aber Peter lässt nicht locker. »Und Sie müssen wie ein Neufundländer essen, wie ein Neufundländer reden, wie ein Neufundländer trinken und wie ein Neufundländer tanzen.«

»Ich habe bereits Rum getrunken«, werfe ich ein, als ob das einen Neufundländer beeindrucken könnte.

»Wie wär's mit diesem Exemplar?« Peter streckt mir einen Fisch entgegen.

»Nur wenn Sie's vormachen«, rufe ich und bereue es sofort. Peter spitzt seine Lippen und küsst den Kabeljau auf das glitschige Maul.

O mein Gott. Jetzt sitze ich in der Falle, die ich mir selbst gegraben habe.

Das ist ja noch schlimmer als die im Whisky schwimmende Zehe in Dawson City.

Peter sieht mich an. »Okay«, sagt er, »Sie können auch mich küssen, das gilt auch.«

»Das ist Erpressung«, sage ich.

»Sure«, erwidert er.

Ich küsse den glitschigen Kabeljau und wische dann gleich meine Lippen trocken.

Aber Peter gibt nicht auf. Er filetiert auf einem Holzbrett eine Makrele. »Die brate ich mir, wenn wir zurückkommen. Möchten Sie mitessen?«

Ich überlege nicht lange. Ein Fischessen im Haus eines echten Fischers? Das kann ich mir doch nicht entgehen lassen!

»Sure«, sage ich.

So viel kann ich verraten: Die Makrele hat vorzüglich geschmeckt.

Auch das Gästezimmer, das mir Peter in seinem Junggesellen-Haus anbietet, gefällt mir. Bei meinem winzigen Spesenbudget kann ich doch sein Angebot, einige Tage gratis in diesem Haus zu schlafen, nicht ausschlagen. Mein Aufenthalt in der Wolkenbeeren-Bucht zieht sich in die Länge. Peter hat mir so viel zu zeigen, wenn er frühnachmittags vom Fischen zurückkommt.

Sein Bruder John lächelt verschmitzt und sagt zu mir: »Das muss eine gute Makrele gewesen sein.«

»Ja, und der Koch erst«, entgegne ich.

Epilog

Sawt74032jwee@hotmail.com

»Was, du bist schon wieder in Neufundland? Da warst du doch vor drei Monaten schon. Was tust du dort schon wieder? Es ist doch so kalt in Neufundland. Ich sehe ständig Bilder von Eisbergen. Aber von dir höre ich nichts mehr. Ich kann mir nicht vorstellen, was du dort treibst. Melde dich bald!

Vera«

Aklund5yhr@341deutschnet.de

»Liebe Vera,
ich habe mich in einen Neufundländer verliebt, der mich langsam mit einem Haken an Land gezogen hat. Ich habe in den Köder gebissen und hänge nun fest. Aber zappeln nützt nichts, wenn dich ein Mann ganz fest hält.

Mehr davon später,
deine glückselige Schwester.«

Dank

Ich möchte allen, die zum Gelingen dieses Buches beigetragen haben, herzlich danken. Marc Bossart hat die Fähigkeit, wie ein Seismograph auf inhaltliche Unstimmigkeiten und sprachliche Dellen zu reagieren. Hartmut Scheffler setzte seine wertvollen Einsichten sogar in eine Computergraphik um, um sie mir verständlich zu machen. Anke Scheffler kann alles rasch auf den Punkt bringen. Professor Peter Stenberg von der Universität UBC in Vancouver kennt sich wie kaum ein anderer Kanadier in europäischen Befindlichkeiten aus. Seine Frau Rosa Stenberg entdeckt oft genau das, was alle übersehen. Allen Autoren ist eine mitfiebernde Leserin wie Susanne Keller zu wünschen. Rae Ellingham, die personifizierte Inspiration, verdient den höchsten Orden Kanadas für seinen Humor. Hubert Hedderson lehrte mich (fast) alles über den Fischfang. Und schließlich möchte ich meinem Lektor Daniel Oertel für sein Engagement und sein sicheres Gespür danken.

Bernadette Calonego

Cheers, Amerika!

Reymer Klüver

ALLEIN UNTER DOPPEL-WHOPPERN

Unser Jahr in Amerika

ISBN 978-3-548-28169-8
www.ullstein-buchverlage.de

Amerika, das ist das Weiße Haus und der Grand Canyon, Barbecue und Baseball. Als Reymer Klüver USA-Korrespondent der *Süddeutschen Zeitung* wird, zieht er mit seiner Frau, den drei Kindern und einem Haufen Vorurteile nach Washington, DC. Dort erwarten die Familie tropische Temperaturen, die Leidenschaft ihrer amerikanischen Nachbarn für große Sportautos und seltsame Bräuche wie *Halloween* und *Thanksgiving* – eben der ganz normale Wahnsinn des *American Way of Life*.

UB615

Alter Schwede!

Gunnar Herrmann

ELCHTEST

Ein Jahr in Bullerbü

ISBN 978-3-548-28142-1
www.ullstein-buchverlage.de

Mit Baby nach Bullerbü – als Familie Herrmann
das Angebot erhält, nach Schweden zu ziehen,
klingt das paradiesisch: Unberührte Natur und
rote Holzhäuschen. Ein einziger großer Kinder-
spielplatz! Doch im Land der Elche ist nicht alles
»Bullerbü«. Die Winter sind dunkel, die Menschen
höflich, aber verschlossen, und die Warteschlan-
gen der Bürokratie lang.
Mit viel Witz, Sympathie und Augenzwinkern
erzählt Gunnar Herrmann vom Familienleben im
hohen Norden.

UB616